10-Minute Good Night Stories

10分钟美绘 睡前故事

★ 暖暖的心 ★

苏 梅 等/著　贝贝熊插画工作室/绘

长江出版传媒 | 长江少年儿童出版社

亲子小故事，有爱、有梦、有惊喜！

"你或许拥有无限的财富，一箱箱的珠宝和一柜柜的黄金，但你永远不会比我富有——我有一位读书给我听的妈妈。"这句名言之所以能广泛流传、激荡人心，正在于它准确地道出了亲子共读的意义。那么，和孩子一起读书，为什么如此可贵？

阅读，能让孩子体会被爱的温暖。 在柔和的灯光下，妈妈与宝宝依偎在一起，分享一个个优美、有趣的小故事，会让孩子感受到妈妈的爱与关怀，从而产生满满的幸福感与安全感。

阅读，能为孩子营造瑰丽的梦境。 童话的世界总是那么离奇，而精美的插画为想象提供了助力，坚持每天睡前一个小故事，会让孩子甜蜜入眠，在梦幻的国度里自由驰骋。

阅读，能让孩子感受发现的惊喜。 孩子的头顶只有一方小小的天空，而书本里却藏着一个大大的世界。故事里有那么多没去过的地方、没见过的动物、没听过的传奇，新鲜别样的事物总能激发孩子探索的热情。

所以别犹豫，给孩子讲一个故事吧！短短的十分钟，却能让亲子关系更融洽；短短的十分钟，也许会成为孩子长大后最美的回忆。

目录 CONTENTS

阳光下的梦

★★★

苏 梅/著

wēn nuǎn de yángguāng xià　xiǎo cāng shǔ luò kè zài diào chuáng shang shuì zháo le
温暖的阳光下,小仓鼠洛克在吊床上睡着了。

xiǎo māo kàn jiàn shuì zháo de luò kè　　tā tāo chū xiāng pēn
小猫看见睡着的洛克,她掏出香喷

pēn de shǒu juàn　gài zài luò kè de dù zi shang
喷的手绢,盖在洛克的肚子上。

xiǎo tù kàn jiàn shuì zháo de luò kè　　tā cǎi le yí piàn
小兔看见睡着的洛克,她采了一片

shù yè　zhē zhù luò kè de yǎn jing
树叶，遮住洛克的眼睛。

xiǎo dài shǔ kàn jiàn shuì zháo de luò kè　tā cóng kǒu dai li tāo chū hóng
小袋鼠看见睡着的洛克，他从口袋里掏出红

píng guǒ　fàng zài diào chuángshang
苹果，放在吊床上。

xiǎo xióng kàn jiàn shuì zháo de luò kè　tā bǎ yì gēn miàn bāo bàng
小熊看见睡着的洛克，他把一根面包棒

fàng zài diào chuángshang
放在吊床上。

xiǎo gǒu yóu dì yuán lái gěi luò kè sòng xìn le　tā kàn jiàn
小狗邮递员来给洛克送信了，他看见

luò kè shuì zháo le　jiù bǎ xìn fàng zài le diào chuángshang
洛克睡着了，就把信放在了吊床上。

luò kè měi měi de zuò le gè mèng　tā mèng
洛克美美地做了个梦，他梦

7

见下了一场奇怪的雨，天上落下来的不是雨水，而是花手绢、绿树叶、红苹果和长面包。

洛克睡醒了，揉揉眼睛坐起来。咦？吊床上真的多了这些东西，还有一封信。

洛克打开信，看见一张姐姐贝蒂寄来的贺卡，贺卡上写着：

祝你在阳光下做个好梦！

★ **亲子悄悄话：**

因为有了这么多朋友的关心，小仓鼠的美梦成真了！如果你也想美梦成真，就去交更多的朋友吧！

小鼹鼠打地洞

<ruby>每<rt>měi</rt></ruby><ruby>年<rt>nián</rt></ruby><ruby>春<rt>chūn</rt></ruby><ruby>天<rt>tiān</rt></ruby>，<ruby>小<rt>xiǎo</rt></ruby><ruby>鼹<rt>yǎn</rt></ruby><ruby>鼠<rt>shǔ</rt></ruby><ruby>都<rt>dōu</rt></ruby><ruby>会<rt>huì</rt></ruby><ruby>把<rt>bǎ</rt></ruby><ruby>她<rt>tā</rt></ruby><ruby>的<rt>de</rt></ruby><ruby>窝<rt>wō</rt></ruby><ruby>上上<rt>shàngshàng</rt></ruby><ruby>下<rt>xià</rt></ruby><ruby>下<rt>xià</rt></ruby>、<ruby>里<rt>lǐ</rt></ruby><ruby>里<rt>lǐ</rt></ruby><ruby>外<rt>wài</rt></ruby><ruby>外<rt>wài</rt></ruby><ruby>打<rt>dǎ</rt></ruby><ruby>扫<rt>sǎo</rt></ruby><ruby>干<rt>gān</rt></ruby><ruby>净<rt>jìng</rt></ruby>。<ruby>今<rt>jīn</rt></ruby><ruby>年<rt>nián</rt></ruby>，<ruby>小<rt>xiǎo</rt></ruby><ruby>鼹<rt>yǎn</rt></ruby><ruby>鼠<rt>shǔ</rt></ruby><ruby>别<rt>bié</rt></ruby><ruby>提<rt>tí</rt></ruby><ruby>有<rt>yǒu</rt></ruby><ruby>多<rt>duō</rt></ruby><ruby>骄<rt>jiāo</rt></ruby><ruby>傲<rt>ào</rt></ruby><ruby>了<rt>le</rt></ruby>。<ruby>你<rt>nǐ</rt></ruby><ruby>看<rt>kàn</rt></ruby>，<ruby>苹<rt>píng</rt></ruby><ruby>果<rt>guǒ</rt></ruby><ruby>花<rt>huā</rt></ruby><ruby>做<rt>zuò</rt></ruby><ruby>的<rt>de</rt></ruby><ruby>扶<rt>fú</rt></ruby><ruby>手<rt>shǒu</rt></ruby><ruby>椅<rt>yǐ</rt></ruby>，<ruby>花<rt>huā</rt></ruby><ruby>瓣<rt>bàn</rt></ruby><ruby>铺<rt>pū</rt></ruby><ruby>成<rt>chéng</rt></ruby><ruby>的<rt>de</rt></ruby><ruby>柔<rt>róu</rt></ruby><ruby>软<rt>ruǎn</rt></ruby><ruby>地<rt>dì</rt></ruby><ruby>毯<rt>tǎn</rt></ruby>……<ruby>太<rt>tài</rt></ruby><ruby>棒<rt>bàng</rt></ruby><ruby>了<rt>le</rt></ruby>！

"<ruby>我<rt>wǒ</rt></ruby><ruby>一<rt>yí</rt></ruby><ruby>定<rt>dìng</rt></ruby><ruby>要<rt>yào</rt></ruby><ruby>邀<rt>yāo</rt></ruby><ruby>请<rt>qǐng</rt></ruby><ruby>我<rt>wǒ</rt></ruby><ruby>的<rt>de</rt></ruby><ruby>邻<rt>lín</rt></ruby><ruby>居<rt>jū</rt></ruby><ruby>加<rt>jiā</rt></ruby><ruby>斯<rt>sī</rt></ruby><ruby>通<rt>tōng</rt></ruby><ruby>过<rt>guò</rt></ruby><ruby>来<rt>lái</rt></ruby><ruby>玩<rt>wán</rt></ruby>，<ruby>他<rt>tā</rt></ruby><ruby>看<rt>kàn</rt></ruby><ruby>到<rt>dào</rt></ruby><ruby>这<rt>zhè</rt></ruby><ruby>些<rt>xiē</rt></ruby><ruby>肯<rt>kěn</rt></ruby><ruby>定<rt>dìng</rt></ruby><ruby>很<rt>hěn</rt></ruby><ruby>惊<rt>jīng</rt></ruby><ruby>讶<rt>yà</rt></ruby>！"<ruby>于<rt>yú</rt></ruby><ruby>是<rt>shì</rt></ruby><ruby>她<rt>tā</rt></ruby><ruby>戴<rt>dài</rt></ruby><ruby>上<rt>shàng</rt></ruby><ruby>帽<rt>mào</rt></ruby><ruby>子<rt>zi</rt></ruby><ruby>出<rt>chū</rt></ruby><ruby>发<rt>fā</rt></ruby><ruby>了<rt>le</rt></ruby>。<ruby>可<rt>kě</rt></ruby><ruby>是<rt>shì</rt></ruby><ruby>她<rt>tā</rt></ruby><ruby>打<rt>dǎ</rt></ruby><ruby>洞<rt>dòng</rt></ruby><ruby>的<rt>de</rt></ruby><ruby>本<rt>běn</rt></ruby>

^{lǐng} 领 zhēn de bù zěn me yàng yīn wèi tā wán quán méi yǒu fāng xiàng gǎn
领真的不怎么样,因为她完全没有方向感。

dì yī cì xiǎo yǎn shǔ chū xiàn zài le tù zi de jiā li hái bǎ yì zhěng dǔ qiáng
第一次,小鼹鼠出现在了兔子的家里,还把一整堵墙

dōu gěi nòng tā le dì èr cì xiǎo yǎn shǔ pǎo dào le pí qì bào zào de lǎo shǔ hā dùn
都给弄塌了。第二次,小鼹鼠跑到了脾气暴躁的老鼠哈顿

jiā li dì sān cì xiǎo yǎn shǔ zhōng yú dào le jiā sī tōng de jiā
家里。第三次,小鼹鼠终于到了加斯通的家。

jiā sī tōng hǎn dào wǒ qīn ài de lín jū nǐ tài bàng le tù zi yì jiā hé
加斯通喊道:"我亲爱的邻居,你太棒了!兔子一家和

lǎo shǔ hā dùn dōu zài zhè er ne
老鼠哈顿都在这儿呢！"

xiǎo yǎn shǔ xiào zhe shuō   wǒ wā le tài duō dì dào le   xiàn
小鼹鼠笑着说："我挖了太多地道了，现

zài wǒ men dà jiā de wō dōu xiāng hù lián tōng le   zǒu ba   qù wǒ
在我们大家的窝都相互连通了。走吧，去我

jiā qìng zhù chūn tiān de dào lái ba
家庆祝春天的到来吧！"

亲子悄悄话：

　　小鼹鼠一通没有方向感的乱打洞，居然把各位邻居的家连通了。现在，大家互相串门就方便多了，这真是个美妙的意外呀！

相伴终生的松鼠

sōng shǔ lì zī tè qiāo kāi le péng yǒu ài ruì kè de
松鼠莉兹特敲开了朋友艾瑞克的

jiā mén　　ài ruì kè cái gāng gāng qǐ chuáng　tā shēn zhe lǎn yāo
家门。艾瑞克才刚刚起床，他伸着懒腰

dū nong dào　　ō……　wǒ yǒu diǎn è le
嘟哝道："哦……我有点饿了！"

lì zī tè shuō　　wǒ yě hěn xiǎng chī jǐ gè zhēn zi
莉兹特说："我也很想吃几个榛子。

zán men qù nián shōu jí de shí wù bèi nǐ fàng dào nǎ er qù le
咱们去年收集的食物被你放到哪儿去了？"

ài ruì kè zhèng zhǔn bèi gěi tā zhǐ zhēn zi de wèi zhì
艾瑞克正准备给她指榛子的位置，

dàn shì……　　tā náo nao tóu　shuō dào　　wǒ wàng jì fàng zài
但是……他挠挠头，说道："我忘记放在

nǎ lǐ le
哪里了……"

lì zī tè shuō　　　yào shi nǐ bù bǎ
莉兹特说："要是你不把

wèi zhì jì qīng chǔ　　nà bǎ tā men chǔ cáng qǐ
位置记清楚,那把它们储藏起

lái yòu yǒu shén me yòng ne
来又有什么用呢?"

bié zháo jí　　　ài ruì kè qīng sōng de
"别着急!"艾瑞克轻松地

shuō　　kàn dào zhè kē zhēn shù le ma　　hěn jiǔ yǐ
说,"看到这棵榛树了吗?很久以

qián　wǒ bà ba cáng le yì kē zhēn zi　hòu lái
前,我爸爸藏了一颗榛子,后来

zhè lì zhǒng zi jiù zhǎng chéng le dà shù　yòng bù
这粒种子就长成了大树。用不

liǎo duō jiǔ　　bèi wǒ wàng jì de zhēn zi
了多久,被我忘记的榛子

13

yě huì shēng gēn fā yá, jié chū de zhēn zi duō de
也会生根发芽，结出的榛子多得

chī dōu chī bù wán
吃都吃不完！"

lì zī tè chī jīng jí le ài ruì kè zhēn
莉兹特吃惊极了，艾瑞克真

shì tài cōng míng le yú shì tā zài zhè zhī cōng
是太聪明了！于是，她在这只聪

míng de sōng shǔ bí zi shang shēn shēn de wěn le yí
明的松鼠鼻子上深深地吻了一

xià shuō wǒ yào hé nǐ zài yì qǐ wǒ men
下，说："我要和你在一起，我们

de bǎo bao huì yǒu hěn duō hěn duō de zhēn zi
的宝宝会有很多很多的榛子！"

亲子悄悄话：

松鼠喜欢吃坚果，栗子、胡桃、松子都是它们的最爱。有时，它们也会吃松树的嫩枝叶、树皮、菌类和昆虫、小鸟等。

巨大的滑梯

yí liàng xuě shàng mó tuō zài fú bīng shang fēi chí　　mó tuō shang zuò zhe hǎi shī luó yī
一辆雪上摩托在浮冰上飞驰。摩托上坐着海狮罗伊

kè tā de liǎng qí zhōng jiān jiā zhe yí gè gāo yīn lǎ ba
克,他的两鳍中间夹着一个高音喇叭。

tā dà shēng hǎn dào zhù yì la zhù yì la yǒu gè hǎo xiāo xi xuān bù
他大声喊道:"注意啦!注意啦!有个好消息宣布!

zài bīng shān de hòu miàn yí gè jù dà de rè shuǐ yǒng chí yǐ jīng kāi yè la wǒ men xiàn
在冰山的后面,一个巨大的热水泳池已经开业啦,我们现

zài jiù kě yǐ qù jù dà de huá tī shang wán le ér qiě suǒ yǒu rén dōu kě yǐ miǎn fèi
在就可以去巨大的滑梯上玩了!而且,所有人都可以免费

chī yú ō
吃鱼哦!"

莉莉和她的朋友们纷纷鼓掌。她们等这一刻等了很久了，她们一直希望能够在温暖的水里游泳。

莉莉的朋友们跳了几下就到了滑梯的最上面，然后一下就滑到了泳池温暖的水里。

海狮们喊着："这实在是太好玩了！只要顺着滑梯滑就可以了，快来！"

莉莉听到后，也滑出去了，但是方向反了……只听"呜"的一声，她转了个弯，从滑梯的旁边飞出去了，转了几个奇怪的圈，就直接掉进水里去了。

海狮们边鼓掌边喊道："再来一个！再来一个！"

亲子悄悄话:

原来海狮也喜欢玩滑梯，他们玩得多么高兴呀！
小朋友也喜欢玩滑梯，但是玩的时候要注意安全哦！

癞蛤蟆的包

mò mo shì yì zhī lài há ma   tā wèi hún shēnzhǎng
莫莫是一只癞蛤蟆，他为浑身长

mǎn xiǎo bāo ér gǎn dào nán wéi qíng   zhè tiān   tā qiāo kāi
满小包而感到难为情。这天，他敲开

le wén zi tài tai de jiā mén   wén zi tài tai shì yí gè
了蚊子太太的家门，蚊子太太是一个

mó fǎ shī   yí dìng zhī dào gāi zěn me zhì liáo zhè xiē xiǎo bāo
魔法师，一定知道该怎么治疗这些小包。

tā   yì biān yòng shǒu fǔ mō zhe mò mo de liǎn   yì
她一边用手抚摸着莫莫的脸，一

biān niàn dào   kè lā bō tè   kè lā bǐ tè   kuài ràng
边念道："克拉波特，克拉比特！快让

zhè xiē xiǎo bāo xiāo shī ba
这些小包消失吧！"

莫莫等了一会儿，然后照了照镜子。太可怕了！他浑身通红，身上还有黑色的斑点，他变成了一只很大很难看的瓢虫。原来蚊子太太把魔法给搞错了。

莫莫藏了起来，等到魔法消失了之后才回家。身上的小包一个都没有少，他很难过。但是在回去的路上，他碰到了一只漂亮的母癞蛤

^{ma}蟆，^{tā de shēnshang yě zhǎngmǎn le xiǎo bāo}她的身上也长满了小包，^{tā yě yào qù wén zi tài tai jiā li}她也要去蚊子太太家里。^{mò}莫

^{mo gēn tā shuō le zài wén zi tài tai jiā fā shēng de shì qing}莫跟她说了在蚊子太太家发生的事情，^{hái dài tā qù sàn bù}还带她去散步。^{hěn}很

^{kuài tā men jiù wàng jì le shēnshang de xiǎo bāo}快，他们就忘记了身上的小包……

亲子悄悄话：

　　莫莫因为身上的小包不开心，但是当他遇到漂亮的母癞蛤蟆就将忧愁忘记了。当我们遇到不开心的事，也要学着转移注意力，调整情绪。

20

彩云乐园

★★★

野 军/著

yì duǒ cǎi yún piāo luò zài shān pō shang　cǎi yún
一朵彩云飘落在山坡上。彩云

dǎ kāi mén　lǐ miàn zǒu chū yí gè bái hú zi lǎo yé
打开门，里面走出一个白胡子老爷

ye　tā chuī xiǎng le xiǎo lǎ ba　dī dī dā
爷，他吹响了小喇叭，嘀嘀嗒！

xiǎo hóu　xiǎo tù hé xiǎo xióng tīng jiàn le　pá
小猴、小兔和小熊听见了，爬

shàng le shān pō
上了山坡……

lǎo yé ye shuō　zhè lǐ shì cǎi yún lè yuán
老爷爷说："这里是彩云乐园，

huān yíng nǐ men jìn lái wán
欢迎你们进来玩！"

dà jiā kuà jìn mén　hā hā　lǐ
大家跨进门。哈哈！里

面真大！有木马、滑梯、跷跷板……

大家玩得真开心！老爷爷又捧出

好多水果给大家吃。

彩云乐园飘得很高，从窗口往外

看，大山又低又矮，大河又细又长……

天黑了，大家看见圆圆的大月亮和

一颗颗闪光的大星星。

夜深了，彩云乐园飘回到山坡上，

22

fàng xià yí jià chángcháng de tī zi   chī liū   xiǎo hóu   xiǎo tù   xiǎo xióng cóng huá tī shang
放下一架长长的梯子。哧溜！小猴、小兔、小熊从滑梯上

huá dào le shān xià
滑到了山下。

cǎi yún piāo qǐ lái le   lǎo yé ye chuī qǐ le xiǎo lǎ ba   dī dī dā   dà jiā
彩云飘起来了，老爷爷吹起了小喇叭，嘀嘀嗒！大家

yì qǐ hǎn   lǎo yé ye   zài jiàn
一起喊："老爷爷，再见！"

cǎi yún lè yuán yuè piāo yuè gāo   lǎ ba shēng yě yuè lái yuè yuǎn
彩云乐园越飘越高，喇叭声也越来越远。

kě shì   dà jiā hái zài wàng zhe tiān kōng
可是，大家还在望着天空……

亲子悄悄话：

　　你注意过天上的云彩吗？它们真是千变万化，有时像一只小绵羊，有时又像一只大白兔……和朋友们一起游戏时，别忘了望望天空，说不定白胡子老爷爷也会吹着小喇叭来找你呢！

23

跷跷板

★★★

武玉桂/著

xī xī hā hā zhēn hǎo wán ya liǎng zhī xiǎo tián shǔ zài wán qiāo qiāo bǎn
嘻嘻！哈哈！真好玩呀！两只小田鼠在玩跷跷板。

tīng jiàn huān xiào shēng hé mǎ pǎo lái le tā yě xiǎng wán qiāo qiāo bǎn
听见欢笑声，河马跑来了。他也想玩跷跷板。

pàng hé mǎ zài yì tóu liǎng zhī xiǎo tián shǔ zài lìng yì tóu kě shì hé mǎ tài
胖河马在一头，两只小田鼠在另一头。可是，河马太

zhòng liǎng zhī xiǎo tián shǔ yā bú dòng
重，两只小田鼠压不动！

xiǎo tián shǔ hǎn　　dà jiā kuài lái bāngmáng ya
小田鼠喊："大家快来帮忙呀！"

jī jī jī　　　gā gā gā　　pǎo lái xiǎo jī hé xiǎo yā
"叽叽叽！""嘎嘎嘎！"跑来小鸡和小鸭。

kě shì　hé mǎ tài zhòng tián shǔ xiǎo jī hé xiǎo yā hái shi yā bú dòng
可是，河马太重，田鼠、小鸡和小鸭还是压不动！

guā guā guā　　guā guā guā　　yòu lái le yì qún xiǎo qīng wā
"呱呱呱！呱呱呱！"又来了一群小青蛙。

hé mǎ tài zhòng zhè me duō xiǎo péng yǒu hái shi yā bú dòng
河马太重，这么多小朋友，还是压不动！

hé mǎ bù kāi xīn le shuō xiè xie dà jiā wǒ bù wán le
河马不开心了，说："谢谢大家！我不玩了……"

25

hé mǎ bié zǒu　　　xiǎo péng yǒu men shuō　　zài xiǎngxiang bàn fǎ
"河马别走！"小朋友们说，"再想想办法……"

xiǎo tián shǔ qǐng lái le dà gǒu xióng　　tián shǔ　xiǎo jī　xiǎo yā　xiǎo qīng wā　　zài
小田鼠请来了大狗熊。田鼠、小鸡、小鸭、小青蛙，再

jiā shàng dà gǒu xióng　 hā hā　 zhè huí hǎo le
加上大狗熊，哈哈，这回好了！

pàng hé mǎ zhōng yú néng wán qiāo qiāo bǎn le　 qiáo　 tā xiào de duō kāi xīn ya
胖河马终于能玩跷跷板了，瞧，他笑得多开心呀！

亲子悄悄话：
　　一群朋友一起玩跷跷板真是很开心！小朋友是不是也想和伙伴们一起玩游戏呢？那就赶快行动，找伙伴们去啦！

是猫还是鱼

鲇鱼小喵正在安静地游泳，突然他听到有人问："你是谁？"鲇鱼回答道："我是小喵！"

突然，所有的小鱼都落荒而逃，他不知道发生了什么事情，也飞快地藏到一块岩石后面。在那儿，有一只海鳗问他："你是谁？"

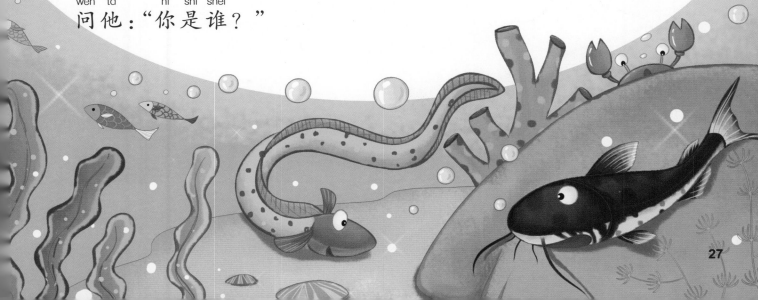

“我是鲇鱼小喵。”他回答道。

海鳗说：“太奇怪了！你不知道猫是吃鱼的吗？这就是为什么你吓走了所有的小鱼。”

于是，小喵游到一块岩石上，大声说：“可爱的鱼儿们，大家听着！我和你们一样，是一条小鱼！要是你们不喜欢我爸爸给我取的名字，那不要

28

jiào wǒ de míng zi jiù kě yǐ le
叫我的名字就可以了。"

tīng dào xiǎo miāo de zhè xiē huà　yú er men míng bai le　dōu yóu dào tā
听到小喵的这些话,鱼儿们明白了,都游到他

shēn biān　yīn wèi dà jiā dōu zhī dào māo shì bù xǐ huan shuǐ de
身边,因为大家都知道猫是不喜欢水的。

yú shì　xiǎo miāo hé qí tā xiǎo yú yì qǐ kuài
于是,小喵和其他小鱼一起快

lè de xī xì zhe
乐地嬉戏着。

亲子悄悄话:

水里的小鱼把"小喵"当成了"小猫",以为自己的天敌来了,都吓跑了!幸好小喵耐心地解释,大家才知道只是一场误会。

害怕"噩梦"的蝙蝠

suǒ fēi hěn pà hēi　běn lái zhè méi shén me　dàn shì duì
索菲很怕黑，本来这没什么，但是对

yú yì zhī biān fú lái shuō　pà hēi què shì yí jiàn hěn tóu téng de
于一只蝙蝠来说，怕黑却是一件很头疼的

shì　tā de péng you dōu zài nài xīn de děng zhe tài yáng xià shān
事。她的朋友都在耐心地等着太阳下山，

但是索菲却总是在天黑的时候吓得瑟瑟发抖。

她的朋友们很好奇地问："你到底怕什么呢？"她小声回答："当天黑的时候，我很害怕噩梦会藏在我住的洞里。噩梦长得很可怕，它有着宽大的翅膀和尖尖的牙齿。"

朋友们说："来，我们一起去把你洞里的这个噩梦赶出去。"蝙蝠们都飞进了索菲的洞里，一起等着夜晚的来临。

tiān hēi de shí hou　suǒ fēi tū rán dà jiào
天黑的时候，索菲突然大叫：

kàn　 tā jiù zài nà er　 tā lái le　 tā quán
"看！它就在那儿，它来了，它全

shēn　　　　tā de péng you men dōu kāi shǐ dà xiào
身……"她的朋友们都开始大笑：

hā hā　　　 bú shì ba　 suǒ fēi　 kàn kan
"哈哈……不是吧，索菲！看看，

nǐ jìng rán hài pà zì jǐ zài jìng zi li de yǐng zi
你竟然害怕自己在镜子里的影子。"

亲子悄悄话：

　　蝙蝠索菲把自己的影子当作噩梦，一到天黑就吓得发抖，这是因为她没有弄清楚事情的状况。其实很多事物并没有想象中的那么可怕！

狐狸的耳环店

★ ★ ★

徐林娟/著

狐狸在森林里开了一家耳环店，店里每天都很热闹，可就是没有小动物买耳环。狐狸想不通！

来耳环店的小兔说："这耳环真好看，可要打耳洞，就不知道有多疼了！"

一句话惊醒了正在发呆的狐狸。

后来，耳环店关了一个星期。

第二个星期的一大早，耳环店又开始营业了，门口站着仙鹤，旁边贴着"无痛打耳洞"的宣传纸。

小猪第一个尝试。只见仙鹤在小猪的左耳边"亲"了一下，右耳边也"亲"了一下，他说："耳洞打好了！"

"啊，已经好了？"大家惊奇地问。

原来，关门的几天里，狐狸去找仙鹤来帮小动物们打耳洞。他还请猫头鹰帮仙鹤训练眼力，请啄木鸟帮她训练动作的快和准，这样，仙鹤才有了现在的一"亲"一个准。

后来大家都争着尝试，狐狸耳环店的生意是一天比一天好！

亲子悄悄话：

狐狸终于发现了小动物们不买耳环的原因了，不过没关系，机灵的狐狸自有办法。你瞧，解决问题也没有那么难，多听、多看、多想就行了！

喜欢跳篱笆的小牛犊

小牛犊拉卡只要看到篱笆，就有一个念头：从上面跳过去！"拉卡，你不知道篱笆的后面是什么就跳过去，这样很危险的！"牛妈妈叮嘱他。

dì èr tiān nóngchǎng zhǔ dài zhe niú qún lái dào yí piàn xīn cǎo
第二天，农场主带着牛群来到一片新草

chǎng lā kǎ fā xiàn le yí dào xīn shù lí yī èr sān hū
场。拉卡发现了一道新树篱，一、二、三，呼，

tā měng de tiào guò le lí ba rán hòu pū tōng yì shēng jù
他猛地跳过了篱笆。然后，"扑通"一声巨

xiǎng niú er men dōu tíng zhǐ le chī cǎo tái qǐ tóu chī jīng de wàng
响，牛儿们都停止了吃草，抬起头吃惊地望

xiàng fā chū jù dà shēngxiǎng de dì fang
向发出巨大声响的地方。

过了一会儿，小牛犊拉卡从树篱后面走了出来，他浑身湿淋淋的，滴着水，犄角上还歪戴着一朵睡莲。原来，树篱的后面是一个大水塘。拉卡从树篱上跳过去以后，直接掉进了水塘里。

拉卡很郁闷地走到牛妈妈身边，哭丧着脸说："妈妈，我应该听您的话的！以后我再也不跳树篱了。"

亲子悄悄话：

拉卡太心急了，还没了解篱笆后面的状况，就跳了过去，一下子变成了"落汤牛"！热爱运动很好，但一定要注意人身安全哦。

鸭子当保姆

鸭子雅克当上了小羊皮诺和皮纳的保姆。两只小羊调皮地学着鸭子保姆的样子，摇摇摆摆地走路。

"别学我走路了，我来教你们游泳吧！"雅克说完，就带着两只

39

xiǎo yáng tiào jìn le chí táng　　yā shěn shen xià le yí tiào
小羊跳进了池塘。鸭婶婶吓了一跳，

chòng yǎ kè dà hǎn　　yáng bǎo bao bú shì yā zi　nǐ zěn
冲雅克大喊："羊宝宝不是鸭子，你怎

me néng jiāo tā men yóu yǒng ne
么能教他们游泳呢？"

yǎ kè tīng shěn shen zhè me yì shuō　gǎn jǐn bǎ liǎng
雅克听婶婶这么一说，赶紧把两

zhī xiǎo yáng wǎng àn biān tuī　kě shì liǎng zhī xiǎo yáng què zài
只小羊往岸边推。可是两只小羊却在

shuǐ li wán de hěn kāi xīn　gēn běn bù xiǎng wǎng àn biān yóu
水里玩得很开心，根本不想往岸边游。

yǎ kè yě méi nà me dà de lì qi tuī dòng yáng bǎo bao
雅克也没那么大的力气推动羊宝宝，

tā tài xīn jí le　bù xiǎo xīn jiù　gū lū gū lū　lián
她太心急了，不小心就"咕噜咕噜"连

hē le jǐ kǒu shuǐ
喝了几口水。

liǎng zhī xiǎo yáng gǎn jǐn yóu dào yǎ kè shēn biān qīng qīng
两只小羊赶紧游到雅克身边，轻轻

sōng sōng jiù bǎ tā tuō dào le àn shang kàn dào yǎ kè láng bèi
松松就把她拖到了岸上。看到雅克狼狈

de yàng zi liǎng zhī xiǎo yáng táo qì de duì tā shuō rú guǒ
的样子，两只小羊淘气地对她说："如果

nǐ xū yào bǎo mǔ jiù zhǎo wǒ men ba
你需要保姆，就找我们吧！"

亲子悄悄话：

哈哈！做事不喜欢思考的鸭子雅克当羊宝宝的保姆，最后却是羊宝宝把她从水里救出来，真是太搞笑了！

不想下蛋的母鸡

　　每天早晨，母鸡们都要下蛋，可是今天福莱特不想下蛋了。她说："虽然今天是五一劳动节，但我不想工作。"

　　公鸡喔喔听到福莱特的话，问："你今天不下蛋了吗？"

福菜特把头一扭，说："今天，我什么也不做！"

"那好吧！"喔喔说，"今天算你运气不好。等母鸡们下完蛋，我要带她们去附近的农场参加聚会，你不下蛋就不能跟我们一起去了。"

福菜特一听，立刻改变了主意："好吧，好吧！给我十分钟，我这就去下蛋。"

43

fú lái tè xiàng suǒ yǒu de mǔ jī yí yàng pā zài zì jǐ de
福莱特像所有的母鸡一样，趴在自已的

wō li yì xīn yí yì de zhǔn bèi xià dàn guò le yí huì er gē
窝里一心一意地准备下蛋。过了一会儿，"咯

gē dā gē gē dā fú lái tè gāo xìng de dà jiào qǐ lái tā
咯哒，咯咯哒！"福莱特高兴地大叫起来，她

xià le yí gè yòu bái yòu dà de dàn
下了一个又白又大的蛋。

hǎo le wǒ de gōng zuò wán chéng le xiàn zài wǒ kě yǐ
"好了，我的工作完成了。现在，我可以

qù cān jiā jù huì le
去参加聚会了！"

★ 亲子悄悄话：

　　每年的5月1日，是全世界劳动人民的共同节日。劳动最光荣，不管是在家里还是在学校里，小朋友都要争做勤劳的好孩子哦！

巨大的胡萝卜

兔子雷欧兴奋地跑着，因为他有一个大大的惊喜要告诉他的兄弟姐妹们。

"快来看！我在河边发现了一根巨大的胡萝卜。"他冲兄弟姐妹们大喊道。

一根巨大的胡萝卜，兔子们

迫不及待想看看！嘿哈，嘿哈！雷欧和他
的兔子一家跑到了这根巨大的橙色胡萝卜
底下。

兔子们大喊："哇！这么大怎么吃得
完！"咔嚓！咔嚓！兔子们开始啃胡萝卜了。

兔子们啃得牙都疼了，肚子也吃得圆
滚滚的，胡萝卜没有了，地上只有一个大
坑。突然，鼹鼠伸出了一个小小的头。

46

yǎn shǔ xiào mī mī de shuō　　xiè xie　　xiè xie nǐ
鼹鼠笑眯眯地说："谢谢，谢谢你

men　　wǒ jiā zhōng yú biàn de liàng tang le　　zhè gēn jù dà de
们！我家终于变得亮堂了。这根巨大的

hú luó bo dǔ zhù le wǒ jiā de chū kǒu　　ér wǒ de zhuǎ zi
胡萝卜堵住了我家的出口！而我的爪子

wā bú dòng xīn de chū kǒu le　　nǐ men bāng wǒ bǎ zhè ge wèn
挖不动新的出口了。你们帮我把这个问

tí jiě jué le
题解决了！"

亲子悄悄话：

　　雷欧发现巨大的胡萝卜，不仅让他的兄弟姐妹们美餐了一顿，还帮助鼹鼠解决了胡萝卜挡道的问题。一举两得，皆大欢喜。

小点点要长大

苏 梅/著

xiǎo diǎn dian xiǎng hé dà gē ge men yì qǐ wán dà
小点点想和大哥哥们一起玩。大

gē ge shuō xiǎo bu diǎn er yì biān qù zhǎng dà hòu zài lái
哥哥说:"小不点儿一边去,长大后再来

wán xiǎo diǎn dian xiǎng wǒ yào kuài kuài de zhǎng dà
玩。"小点点想:我要快快地长大!

xiǎo diǎn dian kàn dào nǎi nai zhòng de huā yuè zhǎng yuè gāo
小点点看到奶奶种的花越长越高。

tā xiǎng wǒ yào bǎ zì jǐ zhòng zài huā yuán li xiàng huā er
他想:我要把自己种在花园里,像花儿

48

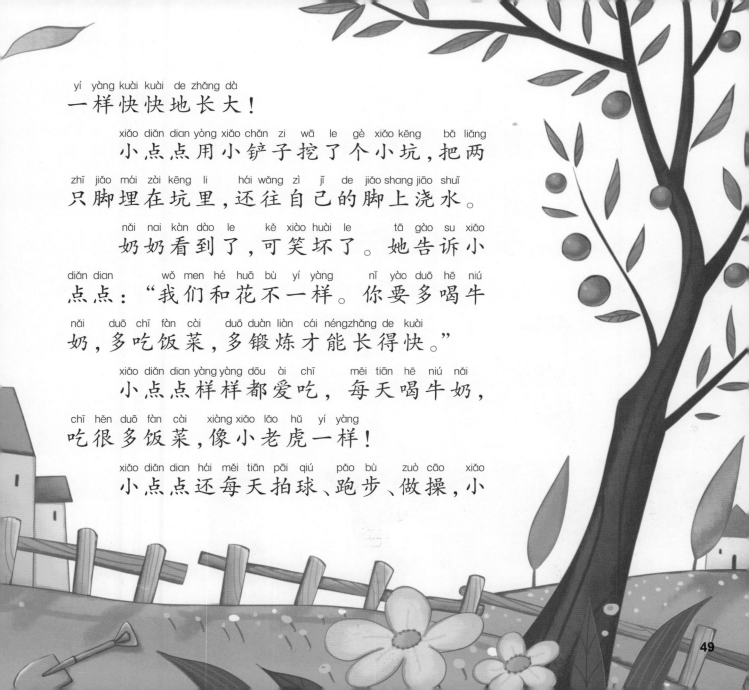

yí yàng kuài kuài de zhǎng dà
一样快快地长大！

xiǎo diǎn dian yòng xiǎo chǎn zi wā le gè xiǎo kēng bǎ liǎng
小点点用小铲子挖了个小坑，把两

zhī jiǎo mái zài kēng li hái wǎng zì jǐ de jiǎo shang jiāo shuǐ
只脚埋在坑里，还往自己的脚上浇水。

nǎi nai kàn dào le kě xiào huài le tā gào su xiǎo
奶奶看到了，可笑坏了。她告诉小

diǎn dian wǒ men hé huā bù yí yàng nǐ yào duō hē niú
点点："我们和花不一样。你要多喝牛

nǎi duō chī fàn cài duō duàn liàn cái néng zhǎng de kuài
奶，多吃饭菜，多锻炼才能长得快。"

xiǎo diǎn dian yàng yàng dōu ài chī měi tiān hē niú nǎi
小点点样样都爱吃，每天喝牛奶，

chī hěn duō fàn cài xiàng xiǎo lǎo hǔ yí yàng
吃很多饭菜，像小老虎一样！

xiǎo diǎn dian hái měi tiān pāi qiú pǎo bù zuò cāo xiǎo
小点点还每天拍球、跑步、做操，小

_{shǒu biàn de yǒu lì le} _{xiǎo tuǐ biàn de jiē shi le}
手变得有力了，小腿变得结实了。

_{dà gē ge men wán qiú shí} _{xiǎo diǎn dian qù bāng tā men jiǎn qiú} _{dà gē ge duì xiǎo}
大哥哥们玩球时，小点点去帮他们捡球。大哥哥对小

_{diǎn dian shuō} _{nǐ pǎo de xiàng tù zi yí yàng kuài} _{lái hé wǒ men yì qǐ wán ba}
点点说："你跑得像兔子一样快，来和我们一起玩吧。"

_{xiǎo diǎn dian jué de zì jǐ zhēn de zhǎng dà le} _{hǎo gāo xìng a}
小点点觉得自己真的长大了，好高兴啊！

★ 亲子悄悄话：

每个孩子都想要快快长大。看了这个故事，你找到让自己快快长大的好方法了吗？

50

绿油油的神奇草

★★★

苏 梅/著

xiǎo jī mèi mei de dǎn zi hěn xiǎo lián xiǎo chóng zi dōu hài pà
小鸡妹妹的胆子很小，连小虫子都害怕。

xiǎo gǒu shuō shān nà biān yǒu zhǒng shén qí cǎo chī le dǎn zi jiù huì biàn dà
小狗说："山那边有种神奇草，吃了胆子就会变大。"

tài hǎo le nǐ kuài dài wǒ qù ba xiǎo jī mèi mei shuō
"太好了！你快带我去吧。"小鸡妹妹说。

tā men fān guò shān guǒ rán kàn jiàn yì zhǒng lǜ yóu yóu de cǎo xiǎo jī mèi mei zhuó
他们翻过山，果然看见一种绿油油的草。小鸡妹妹啄

le jǐ gēn cǎo jué de hěn hǎo chī
了几根草，觉得很好吃！

回家的路上，小狗问小鸡妹妹：

"你现在还害怕小虫子吗？"

吃了神奇草，小鸡妹妹觉得自己的胆子大了些，她说："我不害怕小虫子了。"

以后，小鸡妹妹每天都去吃神奇草，她觉得自己的胆子越变越大了。

有一次，小鸡妹妹遇到一条小蛇，她冲过去，把小蛇赶跑了。

xiǎo gǒu gāo xìng de shuō　　nǐ zhēn yǒng gǎn
小狗高兴地说："你真勇敢！"

xiǎo jī mèi mei shuō　　shì nǐ dài wǒ qù chī shén qí cǎo　ràng
小鸡妹妹说："是你带我去吃神奇草，让

wǒ de dǎn zi biàn dà le
我的胆子变大了！"

xiǎo gǒu xiào zhe shuō　　qí shí wǒ dài nǐ qù chī de zhǐ shì yì zhǒng pǔ tōng de cǎo
小狗笑着说："其实我带你去吃的只是一种普通的草，

shì nǐ ràng zì jǐ biàn de yǒng gǎn le
是你让自己变得勇敢了！"

亲子悄悄话：

胆小的小鸡妹妹以为自己是因为吃了神奇草才变得胆大的，其实不是这样的。只要我们想做一个勇敢的孩子，我们就能做到！

小熊的新领带

★ ★ ★

苏 梅/著

xiǎo xióng jìn chéng mǎi le yí dà kuài piào liang de huā bù tā xiǎng gěi
小熊进城买了一大块漂亮的花布，他想给

zì jǐ zuò jiàn cháng fēng yī
自己做件长风衣。

huí jiā de lù shang xiǎo māo kàn jiàn le xiǎo xióng de piào liang huā bù
回家的路上，小猫看见了小熊的漂亮花布，

hěn xǐ huan xiǎo xióng jiù jiǎn xià le yí bàn sòng gěi xiǎo māo ràng tā zuò
很喜欢！小熊就剪下了一半送给小猫，让她做

条花裙子。

小熊想：长风衣做不成，我就给自己做件短

风衣吧。

小熊继续走着，看见小猴跌破了

裤子在哭。小熊就撕了块花布，替小

猴补好了裤子上的破洞。

小熊想：短风衣做不成，

我就给自己做件背心吧。

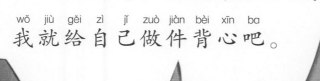

xiǎo xióng jì xù zǒu zhe，kàn jiàn
小熊继续走着，看见

xiǎo zhū gǎn mào le，yí gè jìn de dǎ
小猪感冒了，一个劲地打

pēn tì。xiǎo xióng jiù gěi le xiǎo zhū
喷嚏。小熊就给了小猪

yí kuài zhèng fāng xíng de huā bù dāng shǒu juàn
一块正方形的花布当手绢。

huí dào jiā，xiǎo xióng kàn kan zì
回到家，小熊看看自

jǐ shǒu li de nà kuài huā bù，zhǐ shèng
己手里的那块花布，只剩

xià xì xì cháng cháng de yì tiáo le
下细细长长的一条了。

tā bǎ zhè tiáo huā bù dàng lǐng dài dài
他把这条花布当领带戴

zài bó zi shang，gāo xìng de shuō：wǒ yǒu le yì tiáo xīn lǐng dài
在脖子上，高兴地说："我有了一条新领带！"

亲子悄悄话：

小熊一次次地帮助朋友，让自己的长风衣变成了一条细领带，但他还是很高兴！故事告诉我们：热心帮助他人，自己也会快乐！

小兔第一次买菜

★★★

苏 梅/著

tù mā ma bìng le　tǎng zài chuángshang　xiǎo tù xiǎng
兔妈妈病了，躺在床上。小兔想：

wǒ yào xué mā ma zuò shì　wǒ xiān qù mǎi cài
我要学妈妈做事，我先去买菜。

xiǎo tù zǒu jìn le yí gè yuán wū dǐng de shāng diàn
小兔走进了一个圆屋顶的商店，

lǐ miàn dōu shì wǔ yán liù sè de yī fu
里面都是五颜六色的衣服。

57

xiǎo tù xīn xiǎng zhè lǐ lián piàn cài yè dōu méi yǒu
小兔心想：这里连片菜叶都没有。

xiǎo tù yòu zǒu jìn le yí gè jiān wū dǐng de shāng diàn
小兔又走进了一个尖屋顶的商店，

lǐ miàn bǎi mǎn le gè zhǒng gè yàng de shū xiǎo tù xīn xiǎng
里面摆满了各种各样的书。小兔心想：

zhè lǐ lián kuài luó bo tóu dōu kàn bú jiàn
这里连块萝卜头都看不见。

xiǎo tù yòu zǒu jìn le yí gè mó gu fáng shāng diàn lǐ
小兔又走进了一个蘑菇房商店，里

miàn yǒu gè zhǒng gè yàng de wán jù xiǎo tù zhōng yú zhǎo dào
面有各种各样的玩具。小兔终于找到

le shuǐ líng líng de luó bo hé lǜ yóu yóu de qīng cài
了水灵灵的萝卜和绿油油的青菜。

xiǎo tù jiù mǎi le liǎng gēn luó bo hé sān kē qīng cài
小兔就买了两根萝卜和三棵青菜，

rán hòu gāo gāo xìng xìng de huí le jiā tù mā ma kàn jiàn xiǎo tù mǎi lái de cài xiào le
然后高高兴兴地回了家。兔妈妈看见小兔买来的菜，笑了

qǐ lái shǎ hái zi nǐ mǎi de qīng cài hé luó bo shì là zuò de wán jù ya xiǎo
起来："傻孩子，你买的青菜和萝卜是蜡做的玩具呀。"小

tù de liǎn hóng le nà wǒ gāi dào nǎ lǐ qù mǎi cài ya
兔的脸红了："那我该到哪里去买菜呀？"

qù cài shì chǎng mǎi cài tù mā ma bǎ cài shì chǎng de yàng zi jiǎng gěi xiǎo tù
"去菜市场买菜。"兔妈妈把菜市场的样子讲给小兔

tīng xiǎo tù shuō xià cì wǒ hái yào qù mǎi cài
听。小兔说："下次，我还要去买菜。"

亲子悄悄话：

糊里糊涂的小兔没有向妈妈问清楚，就自己去买菜了，结果闹出了笑话。
不过小兔这么体贴地帮妈妈做事情，真是个好孩子！

梅花鹿的太阳帽

苏　梅/著

tiān qì zhēn rè　fán fan lái dào hé biān yóu yǒng　tā tuō xià hàn shān hé duǎn kù
天气真热，凡凡来到河边游泳，他脱下汗衫和短裤，

wǎng cǎo cóng li de ǎi shù zhī shang yí guà　jiù tiào jìn le shuǐ li
往草丛里的矮树枝上一挂，就跳进了水里。

yóu lèi le　fán fan pá shàng àn　zhǎo bú dào zì jǐ de hàn
游累了，凡凡爬上岸，找不到自己的汗

shān hé duǎn kù le　zhēn zháo jí
衫和短裤了，真着急！

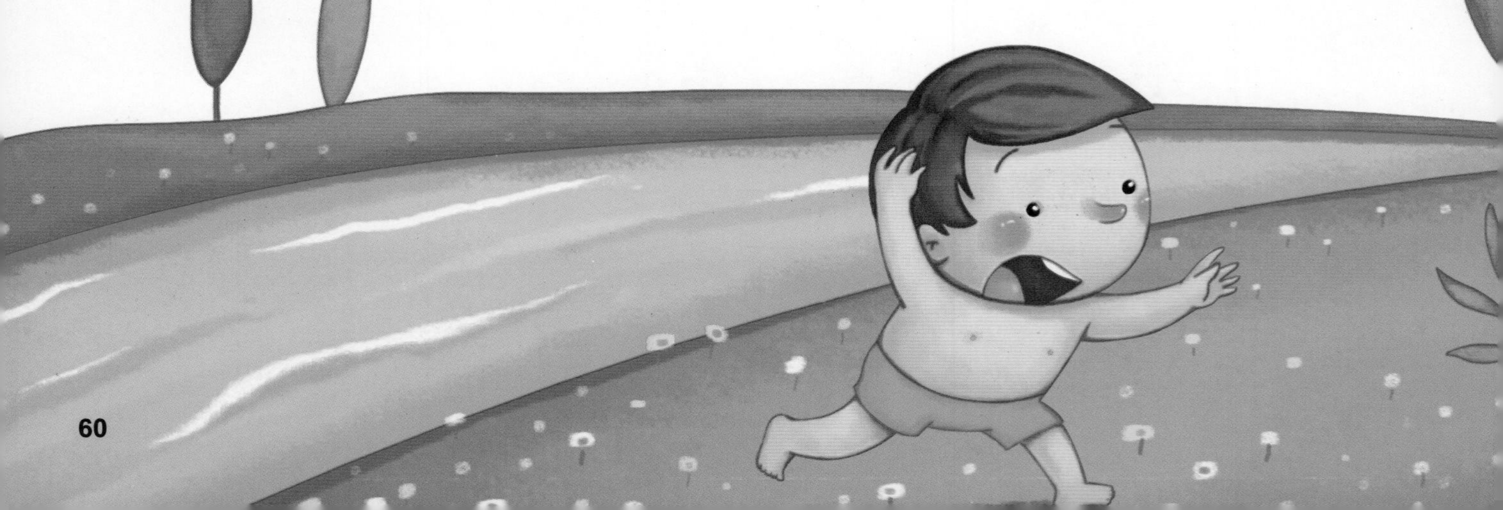

yì zhī méi huā lù màn yōu yōu de zǒu guò lái　fán fan kàn dào
一只梅花鹿慢悠悠地走过来，凡凡看到

méi huā lù de lù jiǎo shang guà zhe zì jǐ de hàn shān hé duǎn kù
梅花鹿的鹿角上挂着自己的汗衫和短裤。

fán fan jí mángshuō　méi huā lù　nǐ jiǎo shang guà de shì
凡凡急忙说："梅花鹿，你角上挂的是……"

méi huā lù shuō　zhè shì wǒ de xīn tài yáng mào　gāng cái
梅花鹿说："这是我的新太阳帽。刚才

wǒ zài cǎo cóng li shuì jiào　xǐng lái jiù fā xiàn duō le dǐng mào zi
我在草丛里睡觉，醒来就发现多了顶帽子。"

fán fan xiǎng　yuán lái wǒ bǎ hàn shān hé duǎn kù guà zài le lù
凡凡想：原来我把汗衫和短裤挂在了鹿

jiǎo shang ya
角上呀。

61

于是，他用树叶和树枝编了一顶太阳帽，说："梅花鹿，我的绿色太阳帽能和你的交换吗？"

梅花鹿点点头。他戴上了树叶太阳帽，说："这顶太阳帽比刚才的那顶更凉快，这个夏天我一定不会热啦！"

亲子悄悄话：

凡凡把鹿角当成了矮树枝，梅花鹿把鹿角上的衣裤当成了太阳帽。真是两个粗心的孩子！以后我们做事可要仔细一些啊！

快乐邮递车

★★★

苏 梅/著

小猴在家里哭闹。猴妈妈生气地说:"再不听话就把你送到邮局去,装进布袋里寄走!"

小猴不哭了,拍起手来:"好玩,我

要贴上邮票寄走，你可不能说话不算数呀！"

猴妈妈只能带小猴去了邮局。邮递

员阿旺在小猴的细尾巴上贴好了邮票。

阿旺的邮递车上有小猴、小兔、小猫

和小老鼠。一路上，阿旺开车，小客人们

在车厢里做游戏、吃东西，开心极了！

邮递车带他们兜了一大圈，最后开回

来，把大家送回了家。

猴妈妈一见小猴就问："一路上还好吧？"

"好极了！我认识了许多朋友。寄走真是件高兴的事情！"小猴说，"妈妈，下次我还想寄走，不过我会听你的话的。"

大家给阿旺开的邮递车取了个名字，叫"快乐邮递车"。

亲子悄悄话：

小猴在邮递车上找到了快乐，是因为换了个环境，他接触了新事物，认识了新朋友。和喜欢的朋友在一起，真是件让人高兴的事儿。

可爱的雪小熊

★★★

苏 梅/著

xiǎo xióng zài jiā li dōng mián le　xiǎo zhū　xiǎo gǒu hé xiǎo tù
小熊在家里冬眠了，小猪、小狗和小兔

què zài xuě dì li dǎ xuě zhàng
却在雪地里打雪仗。

xiǎo zhū shuō　xiǎo xióng kàn bú dào xuě　zhēn kě xī　wǒ men lái duī gè
小猪说："小熊看不到雪，真可惜！我们来堆个

xuě xiǎo xióng　ràng xiǎo xióng zài mèng li kàn dào xuě ba
雪小熊，让小熊在梦里看到雪吧。"

他们开始堆雪小熊了：先堆了个大雪球，做雪小熊的身体；又在大雪球上堆个小雪球，做雪小熊的头；再在两边各加一个雪团团，做雪小熊的耳朵。

小猪用两颗又大又黑的纽扣做雪小熊的眼睛，用一段红绳做雪小熊的嘴巴。

小兔用一根胡萝卜做雪小熊的鼻子。

小狗叫起来："小熊的鼻子没有这么长、这么

jiān de
尖的！"

xiǎo tù   ā wū ā wū   jǐ kǒu   bǎ
小兔"啊呜啊呜"几口，把

hú luó bo chī diào yí duàn   xiǎo gǒu shuō   zhè huí xiàng
胡萝卜吃掉一段。小狗说："这回像

xiǎo xióng de   bí zi le
小熊的鼻子了。"

xiǎo zhū bǎ hóng wéi jīn gěi xuě xiǎo xióng wéi shàng   kě
小猪把红围巾给雪小熊围上。可

ài de xuě xiǎo xióng xiào mī mī de kàn zhe tā men
爱的雪小熊笑眯眯地看着他们。

dà jiā xiāng xìn   xiǎo xióng zài mèng li   yí dìng néng kàn
大家相信：小熊在梦里一定能看

dào xuě   kàn dào tā men zuò de xuě xiǎo xióng
到雪，看到他们做的雪小熊。

亲子悄悄话：

　　小伙伴们在玩的时候，还想着冬眠的小熊，想把快乐也带给他。有了这份友情，小熊的冬天一定会很温暖。

灰灰兔感冒了

★★★

苏 梅/著

冬天到了，天气一天比一天冷。灰灰兔为了漂亮，不愿意多穿衣服。"阿嚏！"她打了一个大喷嚏。

妈妈说："你看你，不听话，着凉了吧……"

灰灰兔没等妈妈把话说完，就跑出了门。

灰灰兔跑进蛋糕店，看黄猫点心师给奶油蛋糕裱花

wén tā rěn bú zhù duì zhe nǎi yóu dàn gāo dǎ
纹，她忍不住对着奶油蛋糕打

le hǎo jǐ gè dà pēn tì
了好几个大喷嚏。

āi yā nǎi yóu pēn le huáng māo diǎn xin shī yì
哎呀，奶油喷了黄猫点心师一

liǎn huáng māo diǎn xin shī zhāi xià dà kǒu zhào kū xiào
脸。黄猫点心师摘下大口罩，哭笑

bù dé de shuō huī huī tù nǐ lái cuò dì fang le
不得地说："灰灰兔，你来错地方了，

nǐ yīng gāi qù yī yuàn kàn bìng
你应该去医院看病。"

huáng māo diǎn xin shī gěi le huī huī tù yí kuài
黄猫点心师给了灰灰兔一块

dàn gāo hé yì zhī dà kǒu zhào
蛋糕和一只大口罩。

huī huī tù chī le dàn gāo dài shàng dà kǒu zhào
灰灰兔吃了蛋糕，戴上大口罩，

tā tū rán jué de tóu hǎo yūn tuǐ hǎo ruǎn
她突然觉得头好晕、腿好软！

tù mā ma zhèng hǎo zhǎo lái le tā dài zhe huī huī tù lái dào
兔妈妈正好找来了，她带着灰灰兔来到

yī yuàn li
医院里。

mián yáng yī shēng gěi huī huī tù liáng le tǐ wēn kāi hǎo yào
绵羊医生给灰灰兔量了体温、开好药，

rán hòu shuō chī le gǎn mào yào hǎo hǎo shuì yí jiào
然后说："吃了感冒药，好好睡一觉，

liǎng sān tiān jiù huì hǎo de
两三天就会好的。"

⭐ **亲子悄悄话：**

冬天容易受凉感冒，我们要及时增加衣服，平时
多锻炼身体、增强体质；室内要经常开窗通风，保持
空气新鲜；感冒流行期间少到公共场所去；还可适当
喝金银花、板蓝根等中草药预防。

香喷喷的蛋糕

苏　梅/著

猪妈妈做蛋糕的手艺顶呱呱。这天，她又做了很多蛋糕，那香味把棒棒猪、皮皮狗和跳跳猴都拉过来了。

平时，猪妈妈总是很热情地说："宝贝们，吃吧，你们吃得越多我越开心！"可是这次，猪妈妈一句话也不说，孩子们看得直流口水。

猪妈妈把饼干装在盒子里，她说：

"宝贝们，等会儿你们要一人表演一个节目，才能吃到蛋糕。"

大家跟着猪妈妈来到一个院子里，这才知道，猪妈妈带他们来的是敬老院。鹿奶奶、猫奶奶、马爷爷、羊爷爷等很多年纪大的老人住在这里。

"大家快吃吧，这是

73

gāng zuò hǎo de hái yǒu diǎn rè ne zhū mā ma shuō
刚做好的，还有点热呢。"猪妈妈说。

lǎo rén men kāi shǐ chī dàn gāo le bàng bàng zhū
老人们开始吃蛋糕了。棒棒猪、

pí pí gǒu tiào tiào hóu yì qǐ biǎo yǎn jié mù
皮皮狗、跳跳猴一起表演节目，

chàng gē tiào wǔ yǎn zá jì
唱歌、跳舞、演杂技……

lǎo rén men biān kàn biān chī liǎn shang xiào
老人们边看边吃，脸上笑

chū le yì duǒ duǒ dà jú huā
出了一朵朵大菊花。

亲子悄悄话：

　　敬老院的老人们很孤独，非常需要他人的关心。我们可以为他们做些力所能及的事情，如给他们送些好吃的，给他们表演节目等，给他们带去笑声和欢乐。

我的衣服自己穿

苏 梅/著

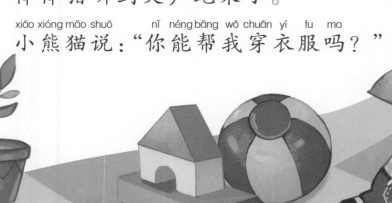

小熊猫醒来了，他喊："妈妈，我要起床了，快来给我穿衣服啊。"可是他喊了很多遍，妈妈一直没有来，他急得哭起来。

棒棒猪听到哭声跑来了。

小熊猫说："你能帮我穿衣服吗？"

"对不起，我只会给自己穿衣服，不会给别人穿衣服。你不会自己穿吗？"棒棒猪说，"我都是自己搞定的。"

"可是，我从来没有自己穿过衣服，我不会。"小熊猫红着脸说。

棒棒猪脱掉了自己的衣服："你照我的样子做，我来教你吧。"

棒棒猪慢慢地穿上了自己的衣服。小熊猫

rèn zhēn de kàn zhe　　rán hòu zhào zhe bàng bàng zhū de dòng zuò zuò
认真地看着,然后照着棒棒猪的动作做。

xiǎo xióng māo zhēn de bǎ zì jǐ de yī fu chuān shàng le　　tā gāo
小熊猫真的把自己的衣服穿上了,他高

xìng de shuō　　yuán lái　　wǒ yě huì zì jǐ chuān yī fu a
兴地说:"原来,我也会自己穿衣服啊!"

wǒ de bǎo bèi zhēn néng gàn　　xiǎo xióng māo de mā ma zǒu guò lái
"我的宝贝真能干!"小熊猫的妈妈走过来

shuō　　qí shí mā ma yì zhí zài mén wài kàn zhe nǐ men ne
说,"其实妈妈一直在门外看着你们呢。"

亲子悄悄话:

爸爸妈妈要给孩子劳动锻炼的机会,引导孩子做些力所能及的小事。孩子是非常能干的,有些事只要加以正确的引导,教给他正确的方法,当他遇到困难时,多练习几遍,孩子就能学会了,还能体验成功的喜悦。

“小绒球”和“大乌龟”

野　军/著

gā gā gā yì zhī xiǎo yā zài hé biān yáo yáo bǎi bǎi de zǒu zhe
“嘎嘎嘎！”一只小鸭在河边摇摇摆摆地走着。

hū rán kāi lái le yí liàng wán jù xiǎo qì chē dī dī dī
忽然，开来了一辆玩具小汽车：“嘀嘀嘀！”

xiǎo yā méi jiàn guò xiǎo qì chē shuō yí shì yì zhī dà wū guī
小鸭没见过小汽车，说：“咦？是一只大乌龟！”

xiǎo qì chē yě méi jiàn guò xiǎo yā shuō yā shì yì zhī xiǎo róng qiú
小汽车也没见过小鸭，说：“呀，是一只小绒球！”

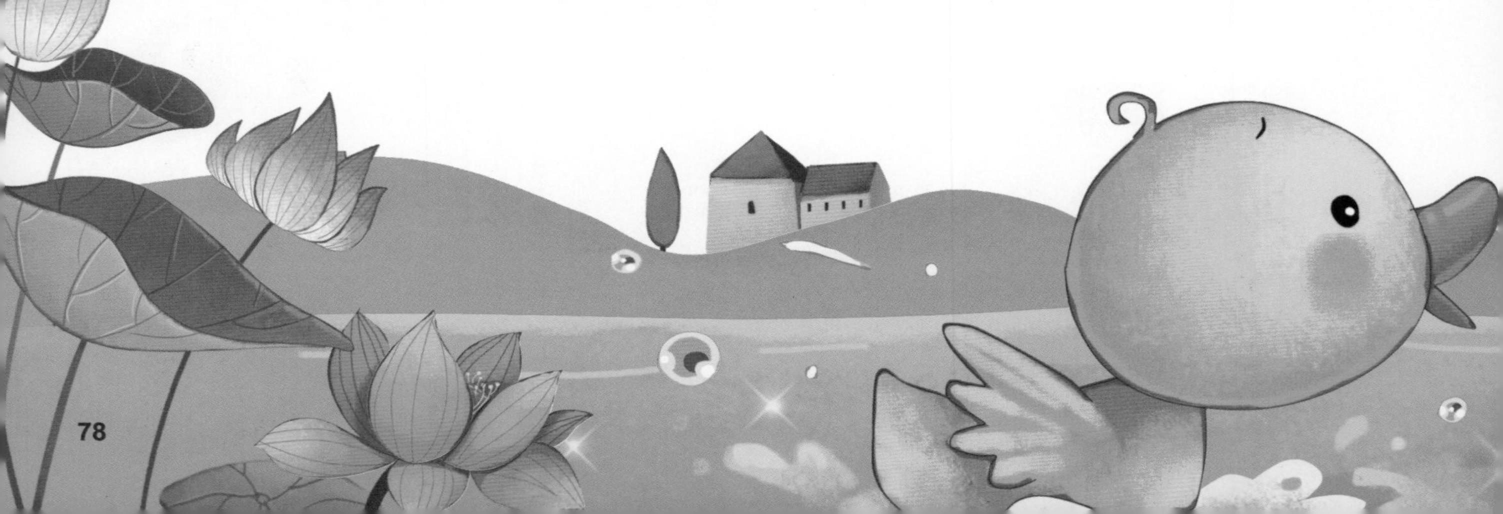

xiǎo qì chē héngchōng zhí zhuàng kāi a kāi
小汽车横冲直撞开啊开，

xià de xiǎo yā pū tōng tiào xià le hé xiǎo
吓得小鸭"扑通"跳下了河。小

qì chē yí kàn yí xiǎo róng qiú zěn me huì yóu shuǐ ya
汽车一看："咦，小绒球怎么会游水呀？"

xiǎo qì chē xiǎngwǎng hòu tuì kě shì tā de liǎng gè
小汽车想往后退，可是它的两个

qián lún xiàn jìn ní shā li dòng bù liǎo la jí de tā
前轮陷进泥沙里，动不了啦！急得它

wū yā wū yā zhí jiào huan
"呜呀，呜呀"直叫唤。

xiǎo yā yóu le guò lái shuō à shì yì zhī
小鸭游了过来，说："啊，是一只

bú huì yóu shuǐ de dà wū guī
不会游水的大乌龟！"

79

不一会儿，小鸭游去喊来了白鹅和灰鸭，说："瞧，就是这只大乌龟爬不动了，你们帮帮它吧。"

"好嘞！"白鹅、灰鸭和小鸭上了河滩，推呀，拉呀，把小汽车拖到了岸上。

小汽车开动了，嘀嘀！嘀嘀！它是在说"谢谢！"和"再见！"呢！

天底下最好的礼物

★★★

苏　梅/著

jiào shī jié kuài dào le　　 lán hú li shuō 　　 wǒ men yào
教师节快到了，蓝狐狸说："我们要

sòng jiàn tè bié de lǐ wù gěi hé mǎ lǎo shī 　　 sòng shén me
送件特别的礼物给河马老师。" 送什么

ne 　 dà jiā dōu zài xiǎng
呢？大家都在想。

wǒ men lái zuò tiān dǐ xia zuì hǎo hē de yǐn
"我们来做天底下最好喝的饮

liào ba 　　 lán hú li shuō 　　 shàng cì wǒ gǎn mào le
料吧。"蓝狐狸说，"上次我感冒了，

河马老师煮了可乐姜汤给我喝。"

听蓝狐狸这么一说，大家都想起来了。

"上次我的嘴巴里生火泡，河马老师泡了白菊花茶给我喝。"灰灰兔说。

"上次我吃药后，河马老师给我喝蜂蜜糖水。"小黑熊说。

还有其他小朋友说了牛奶、橙汁、珍珠奶茶等。

教师节的早晨，蓝狐狸把大家带来的饮料倒进了大杯子里。

lǎo shī zhù nín jiào shī jié kuài lè zhè
“老师！祝您教师节快乐！这

shì wǒ men gěi nín de jiào shī jié lǐ wù
是我们给您的教师节礼物！”

hé mǎ lǎo shī hē yì kǒu jué de wèi dào guài
河马老师喝一口，觉得味道怪

guài de dàn tā gū dū gū dū jǐ kǒu bǎ yì bēi
怪的。但他咕嘟咕嘟几口，把一杯

yǐn liào dōu hē wán le tā shuō zhè zhēn shì tiān dǐ
饮料都喝完了，他说：“这真是天底

xia zuì hǎo hē de yǐn liào yīn wèi zhè lǐ yǒu nǐ men
下最好喝的饮料，因为这里有你们

duì lǎo shī de ài
对老师的爱！”

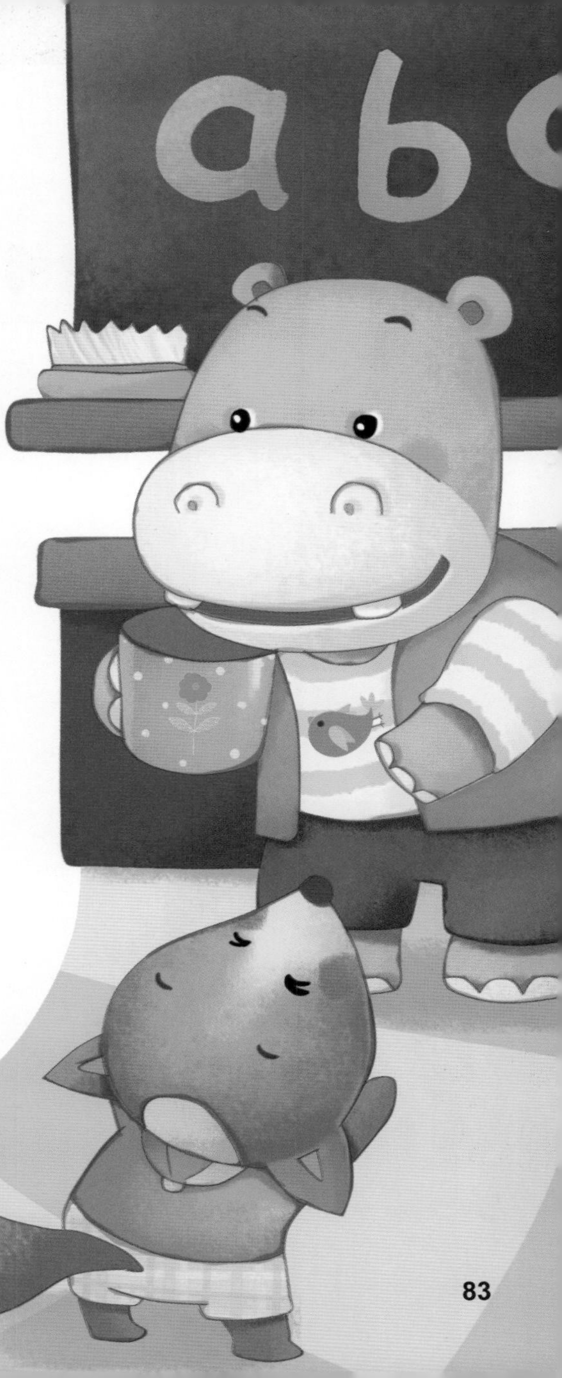

亲子悄悄话：

在教师节，可以给老师准备一份小礼物，如画一张画，唱一首动听的歌，做一张贺卡等，还可以对老师说：“祝您节日快乐！”这些都能表达对老师的尊敬和爱。

"小馋猫"阿罗

★★★

苏 梅/著

ā luó ài chī líng shí　zhěng tiān chī gè bù tíng
阿罗爱吃零食,整天吃个不停。

lǎo shī zài jiǎng gù shi　ā luó bǎ shǒu tōu tōu de shēn
老师在讲故事,阿罗把手偷偷地伸

jìn kǒu dai　zhuā dào jǐ kuài bǐng gān　tā dī zhe tóu　bǎ bǐng
进口袋,抓到几块饼干。他低着头,把饼

gān yí kuài yí kuài wǎng zuǐ ba li sāi
干一块一块往嘴巴里塞。

ā luó　nǐ dī tóu gàn shén me　lǎo shī wèn
"阿罗,你低头干什么?"老师问。

阿罗的嘴巴里全是饼干,他支支吾吾说不出话来。

老师以为阿罗嗓子疼,不能说话,她问:"你生病了吗?老师把你送到医院去吧。"

阿罗最怕去医院了,他只能张开嘴巴,给大家看满嘴的饼干。

小朋友们都笑了,说阿罗是只"小馋猫"。

阿罗回到家,又吃了

很多零食。零食们在阿罗的肚子里太挤了，它们开始打架。

"疼！真疼！"阿罗捂着肚子叫。

爸爸赶快把阿罗送到了医院里。

医生给阿罗开了帮助消化的药，他说："多吃零食对身体不好，以后可不能再乱吃零食了。"

阿罗捂着肚皮，认真地点点头。

亲子悄悄话：

零食好吃也不能多吃，要不然就会像阿罗一样肚子疼啦。小朋友应该养成良好的饮食习惯，多吃热乎乎的主食和五颜六色的蔬菜，这样才能快快长大。

不会说话的阿罗

★★★

苏 梅/著

chī nián yè fàn le　　ā luó jǔ qǐ yǐn liào bēi shuō
吃年夜饭了，阿罗举起饮料杯说：

zhù yé ye nǎi nai fú rú dōng hǎi　　shòu bǐ nán shān
"祝爷爷奶奶福如东海！寿比南山！"

yé ye nǎi nai tīng le zhēn gāo xìng　　zhèng
爷爷奶奶听了真高兴，正

xiǎng kuā ā luó dǒng shì ne　　zhǐ tīng ā luó yòu
想夸阿罗懂事呢，只听阿罗又

shuō　 wǒ de yā suì qián ne　　kuài gěi wǒ a
说："我的压岁钱呢？快给我啊！"

爷爷掏出个大红压岁包说：

"有，有，这是给你的压岁钱。"

阿罗马上打开了压岁包，

叫起来："怎么才给我一百元压

岁钱，太少了！太少了！"

爷爷奶奶不好意思地笑笑："最近

买什么东西都贵……"

阿罗的爸爸妈妈连忙说："阿罗不

懂事，不要听阿罗瞎说。"

bà ba mā ma dèng le ā luó yì yǎn
爸爸妈妈瞪了阿罗一眼。

ā luó yòu jǔ qǐ yǐn liào bēi shuō zhù bà ba mā ma
阿罗又举起饮料杯说："祝爸爸妈妈

chū rù píng ān gōng zuò shùn lì
出入平安！工作顺利！"

bà ba mā ma zhèngxiǎng kuā ā luó dǒng shì ne zhǐ tīng ā
爸爸妈妈正想夸阿罗懂事呢，只听阿

luó yòu shuō gōng xǐ fā cái hóng bāo ná lái
罗又说："恭喜发财，红包拿来！"

zhè hái zi bà ba zhèng yào pī píng ā luó dàn xiǎng
"这孩子！"爸爸正要批评阿罗，但想

dào zài chī nián yè fàn bù xiǎng ràng dà jiā bù gāo xìng
到在吃年夜饭，不想让大家不高兴，

suǒ yǐ jiù méi shuō xià qù
所以就没说下去。

亲子悄悄话：

吃年夜饭时，我们要向长辈说一些美好祝愿的话。通常长辈都会发压岁钱，这是长辈的心意，不论钱多钱少我们都不能嫌弃，都要有礼貌地表示感谢。

"没耳朵"变"尖耳朵"

★★★

苏 梅/著

xiǎo tù zài pāi qiú xiǎo gǒu shuō wǒ hé nǐ yì qǐ wán
小兔在拍球，小狗说："我和你一起玩

ba kě shì xiǎo tù zhǐ dàng méi tīng jiàn
吧。"可是小兔只当没听见。

xiǎo tù zài kàn shū xiǎo māo shuō wǒ hé nǐ yì qǐ kàn
小兔在看书，小猫说："我和你一起看

ba kě shì xiǎo tù zhuǎnshēn zǒu le
吧。"可是小兔转身走了。

dà jiā dōu shuō xiǎo tù méi yǒu zhǎng ěr duo
大家都说："小兔没有长耳朵。"

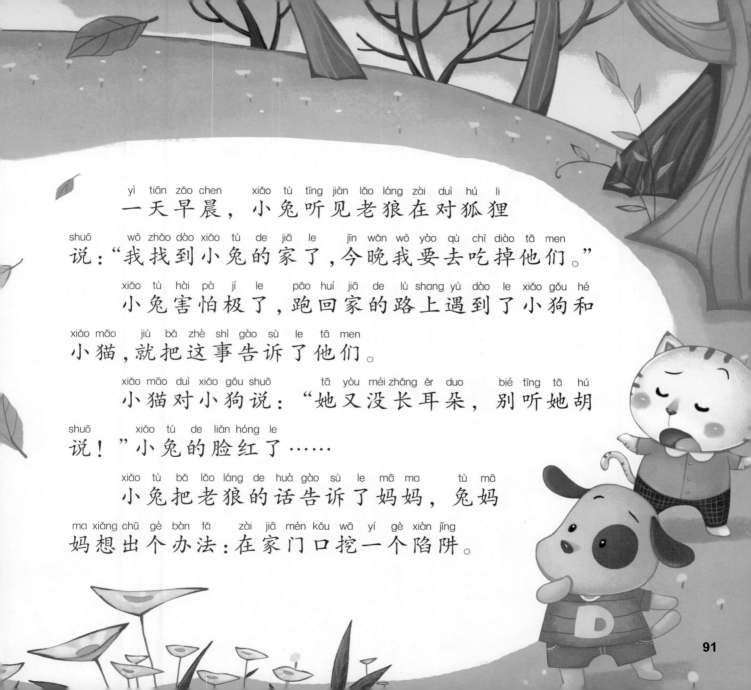

一天早晨，小兔听见老狼在对狐狸
说："我找到小兔的家了，今晚我要去吃掉他们。"

小兔害怕极了，跑回家的路上遇到了小狗和
小猫，就把这事告诉了他们。

小猫对小狗说："她又没长耳朵，别听她胡
说！"小兔的脸红了……

小兔把老狼的话告诉了妈妈，兔妈
妈想出个办法：在家门口挖一个陷阱。

xiǎo gǒu hé xiǎo māo lái le　　tā men hé xiǎo tù yì qǐ wā xiàn jǐng
小狗和小猫来了，他们和小兔一起挖陷阱。

wǎn shang　　lǎo láng gāng zǒu dào xiǎo tù jiā mén kǒu　　jiù diào dào shēn
晚上，老狼刚走到小兔家门口，就掉到深

shēn de xiàn jǐng li qù le
深的陷阱里去了。

cóng cǐ　　xiǎo tù de ěr duo biàn de hěn líng　　bù guǎn shéi shuō shén
从此，小兔的耳朵变得很灵，不管谁说什

me　　tā dōu tīng de hěn qīng chu　　dà jiā dōu shuō　　méi ěr duo xiǎo
么，她都听得很清楚。大家都说："没耳朵小

tù biàn chéng jiān ěr duo xiǎo tù le
兔变成尖耳朵小兔了！"

亲子悄悄话：

爸爸妈妈的话、老师的话、朋友的话，不管是谁说的话，我们都要仔细、认真地听，要做一个"尖耳朵"的好孩子！

小猪的漂亮马甲

★★★

苏　梅/著

小猪很羡慕小袋鼠肚皮上的口袋，于是，他也让妈妈在他的马甲上缝了个口袋。

小猪在口袋里放了苹果和棒棒糖，可是他还想放些别的。

妈妈又在马甲上缝了个口袋。小猪在口袋里放了玩具，可是他还想放些别的。

妈妈又在马甲上缝了个口袋。

小猪在口袋里装了图画书，可是他还想装些别的。

妈妈在马甲上缝了许多口袋。

小猪可高兴了，他把自己的宝贝都装进了口袋里。

小猪穿着马甲去找朋友们玩，他拿出口袋里的好东西和大家一起分享。

94

xiǎo huǒ bàn men dōu jué de xiǎo zhū de kǒu
小伙伴们都觉得小猪的"口

dai mǎ jiǎ hěn shén qí lián xiǎo dài shǔ dōu xiàn mù ne
袋马甲"很神奇，连小袋鼠都羡慕呢。

xiǎo zhū shuō nǐ men yě kě yǐ qǐng mā ma bāngmáng
小猪说："你们也可以请妈妈帮忙

zuò yí jiàn tóng yàng de mǎ jiǎ bú guò yào jì de shuō xiè
做一件同样的马甲，不过要记得说'谢

xie mā ma o
谢妈妈'哦！"

亲子悄悄话：

光羡慕别人是没有用的。开动脑筋，也许你能做得更好。

小老虎学打气

★★★

苏　梅/著

小老虎的自行车轮胎瘪了，他拿出打气筒，学着爸爸的样子给自行车打气，"呼哧呼哧"的声音很响。

小老虎打了很长时间，可是捏捏轮胎，竟然一点气都没有。

这回，小老虎使出了更大的劲来打气，"呼哧呼哧"的声音还是很响。

小老虎的手酸了，他扔下打气筒，

niē nie lún tāi　　hái shi yì diǎn qì yě méi yǒu　　xiǎo lǎo hǔ
捏捏轮胎，还是一点气也没有。小老虎

juē qǐ le zuǐ ba　　dǎ qì tǒng qī fu wǒ
噘起了嘴巴："打气筒欺负我！"

hǔ bà ba lái le　　xiào zhe shuō　　lún tāi de qì mén
虎爸爸来了，笑着说："轮胎的气门

zuǐ hé dǎ qì tǒng de qì zuǐ dōu méi yǒu duì qǐ lái　　qì zuǐ
嘴和打气筒的气嘴都没有对起来，气嘴

jiā yě méi bǎ tā men jiā hǎo　　nǐ dǎ de qì dōu lòu guāng le
夹也没把它们夹好，你打的气都漏光了。"

yuán lái shì zhè yàng　　xiǎo lǎo hǔ àn zhào bà ba
原来是这样！小老虎按照爸爸

shuō de zuò　　yí huì er jiù bǎ liǎng gè lún tāi
说的做，一会儿就把两个轮胎

里的气都打足了。

后来，小老虎还会给打气筒换粗细不同的气嘴，给小狗的皮球打气，给小猫的充气沙发打气，给小狐狸的游泳圈打气……大家都说，小老虎真能干！

亲子悄悄话：

学做事情不用急，先向他人请教正确的做法，才能把事情完成得更好。

98

小树不能摇

★★★

苏 梅/著

tù mèi mei zài tiào niú pí jīn　　niú pí jīn
兔妹妹在跳牛皮筋，牛皮筋

de liǎng tóu jì zài le liǎng kē xiǎo shù shang
的两头系在了两棵小树上。

xiǎo hēi xióng zài pāi qiú　　tā bǎ tuō xià lái
小黑熊在拍球，他把脱下来

de wài tào guà zài le xiǎo shù shang
的外套挂在了小树上。

huā bān zhū lái le　　　　wǒ men lái wán gè yóu
花斑猪来了："我们来玩个游

xì　qǐng nǐ men tīng wǒ de kǒu lìng　zuǒ bǎi　yòu
戏，请你们听我的口令，左摆、右

bǎi　zuǒ bǎi　yòu bǎi　zuǒ bǎi　yòu bǎi
摆，左摆、右摆，左摆、右摆……"

兔妹妹说：“我的头好晕！”小黑熊说：

“我的腰酸！我的腿疼！”

“可是小树的腰一直被你们这样弯着。”

花斑猪说。

兔妹妹解下了系在小树上的牛皮筋，小

黑熊拿掉了挂在小树上的外套。

“我们不能摇晃小树。”花斑猪说，“因为

小树的根很细很嫩，如果摇晃它，就会把这

些根折断，小树就不能吸收水分，就会枯死的。”

shù shì wǒ men de hǎo péng you　　yǐ hòu wǒ men huì hǎo
"树是我们的好朋友！以后我们会好

hǎo ài hù tā de　　tù mèi mei hé xiǎo hēi xióng yì qǐ shuō
好爱护它的。"兔妹妹和小黑熊一起说。

yú shì　　tā men yì qǐ kāi kāi xīn xīn de gěi xiǎo shù jiāo
于是，他们一起开开心心地给小树浇

shuǐ qù le
水去了。

亲子悄悄话：

我们在做事的时候，要想到其他人，想一想我们做的事情有没有妨碍到别人。小树也有生命，禁不起摇晃，宝宝要学会爱护它们哦。

精彩的杂技表演

★★★

苏 梅/著

精彩的杂技表演开始了。大熊先生拿着话筒说:"第一个节目,小羊走钢丝。"

一阵好听的音乐响起,四只小羊走了出来。

一只小羊走上了高高的钢丝,他的手里拿着一根细长的竹杆,用来保持身体的平衡。

tā màn màn de　　wěn wěn de xiàng gāng sī de lìng yì tóu zǒu qù
他慢慢地、稳稳地向钢丝的另一头走去。

yòu yǒu liǎng zhī xiǎo yáng zǒu shàng le gāng sī　　tā men zài gāng sī shang zuò qǐ
又有两只小羊走上了钢丝,他们在钢丝上做起

le　gè zhǒng hǎo kàn de dòng zuò　　guān zhòng men dōu pāi shǒu jiào hǎo
了各种好看的动作。观众们都拍手叫好。

jiē zhe　　zuì hòu yì zhī xiǎo yáng yě shàng qù le　　tā hái dài le
接着,最后一只小羊也上去了,他还带了

yí liàng dú lún chē zuò dào jù　　xì xì de gāng sī shang　dú lún chē
一辆独轮车作道具。细细的钢丝上,独轮车

zài zhe xiǎo yáng　　yì quān yì quān màn màn de xiàng qián yí dòng zhe　　dǎn
载着小羊,一圈一圈慢慢地向前移动着。胆

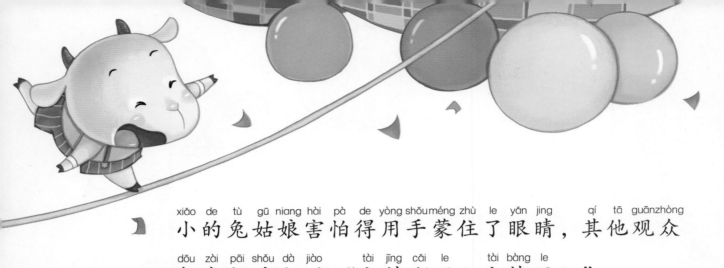

xiǎo de tù gū niang hài pà de yòng shǒu méng zhù le yǎn jing qí tā guānzhòng
小的兔姑娘害怕得用手蒙住了眼睛，其他观众

dōu zài pāi shǒu dà jiào tài jīng cǎi le tài bàng le
都在拍手大叫："太精彩了！太棒了！"

qiáo dà xióng xiān sheng ná zhe huà tǒng yòu shàng tái le tā shuō zhǐ
瞧，大熊先生拿着话筒又上台了，他说："只

yào měi tiān duō liàn xí xiǎo yáng yě néng zǒu gāng sī
要每天多练习，小羊也能走钢丝！"

 亲子悄悄话：

　　许多看起来很困难的事情，只要每天勤加练习，进步一点点，最后都是可以实现的。你有什么特别想做的事情吗？现在就开始行动吧！

说话不算数的吹吹

苏 梅/著

xiǎo yáng chuī chui zài yuàn zi li shuì zháo le tā tū rán fā xiàn zì jǐ
小羊吹吹在院子里睡着了。他突然发现自己
de shǒu hé jiǎo bèi qiān niú huā de téng chán zhù le nǐ men gàn má chán zhù wǒ
的手和脚被牵牛花的藤缠住了："你们干吗缠住我？"

fěn hóng qiān niú huā shuō nǐ mā ma ràng nǐ gěi wǒ men jiāo shuǐ kě
粉红牵牛花说："你妈妈让你给我们浇水，可
nǐ dào xiàn zài yě méi gěi wǒ men jiāo wǒ men dōu kuài kě sǐ le
你到现在也没给我们浇，我们都快渴死了！"

bái qiān niú huā shuō nǐ bà ba ràng nǐ gěi wǒ men
白牵牛花说："你爸爸让你给我们
chā zhú lí ba kě nǐ dào xiàn zài yě méi gěi wǒ men chā
插竹篱笆，可你到现在也没给我们插，
wǒ men méi yǒu lí ba kě yǐ pá zhǐ néng wǎng nǐ shēn shang pá lou
我们没有篱笆可以爬，只能往你身上爬喽。"

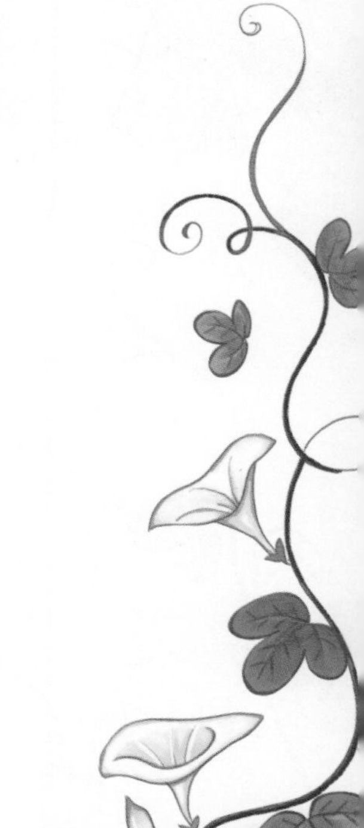

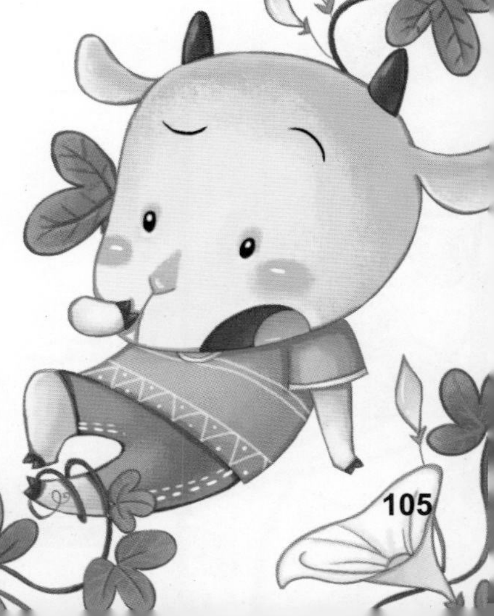

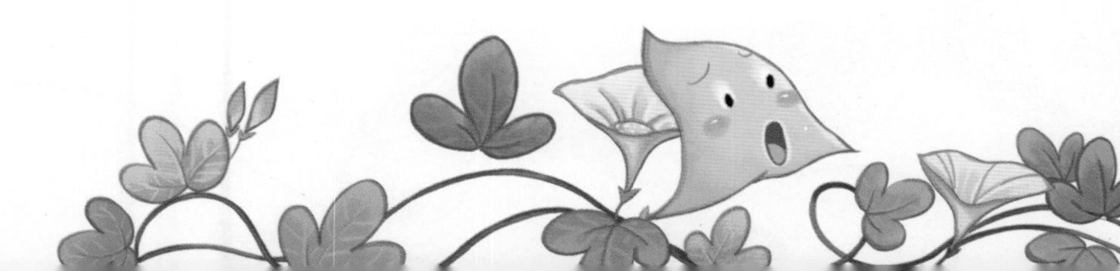

chuī chui zhè cái xiǎng qǐ lái　qián liǎng tiān zì jǐ dā ying bà
吹吹这才想起来，前两天自己答应爸

ba mā ma zuò de shì
爸妈妈做的事。

chuī chui hóng zhe liǎn shuō　　nǐ men kuài fàng kāi wǒ　　wǒ
吹吹红着脸说："你们快放开我，我

qù gěi nǐ men jiāo shuǐ　chā zhú lí ba
去给你们浇水、插竹篱笆。"

bú fàng　bú fàng　nǐ shuō huà shì bú
"不放！不放！你说话是不

suàn shù de　wǒ men fàng le nǐ　nǐ yòu huì bù guǎn
算数的，我们放了你，你又会不管

106

wǒ men de
我们的。”

qiān niú huā men yuè chán yuè jǐn   chuī chui de shǒu hé jiǎo dōu bèi chán téng
牵牛花们越缠越紧，吹吹的手和脚都被缠疼

le   tā dà jiào qǐ lái   jiù mìng a   jiù mìng a
了，他大叫起来：“救命啊！救命啊！”

chuī chui hǎn jiào zhe xǐng guò lái   yuán lái gāng cái zuò le gè mèng   chuī
吹吹喊叫着醒过来，原来刚才做了个梦。吹

chui cā qù é tóu shang de hàn   gàn huó qù le
吹擦去额头上的汗，干活去了。

亲子悄悄话：

说话不算数连牵牛花都要生气，何况是人呢？只有说到做到，别人才会一直相信你。

两件红汗衫

★★★

苏 梅/著

xiǎo xiàng yǒu jiàn hóng hàn shān　chuān zài shēnshang xián
小象有件红汗衫，穿在身上嫌

xiǎo　kě tā bù shě de bǎ hóng hàn shān sòng rén
小，可他不舍得把红汗衫送人。

xiǎo xióng yě yǒu jiàn hóng hàn shān　chuān zài shēnshang
小熊也有件红汗衫，穿在身上

xián dà　kě tā yě bù shě de bǎ hóng hàn shān sòng rén
嫌大，可他也不舍得把红汗衫送人。

tā men qù hé biān xǐ zǎo　dōu tuō xià le hóng
他们去河边洗澡，都脱下了红

hàn shān　dōu guà zài le shù zhī shang
汗衫，都挂在了树枝上。

108

fēng pó po chuī zǒu le liǎng jiàn hóng hàn shān
风婆婆吹走了两件红汗衫。

xiǎo xiàng hé xiǎo xióng xǐ wán zǎo yí kàn hóng hàn shān bú jiàn le
小象和小熊洗完澡一看，红汗衫不见了。

xiǎo xiàng zài shí tou duī li zhǎo dào le tā chuānshànghóng hàn shān
小象在石头堆里找到了，他穿上红汗衫，

bú dà yě bù xiǎo tā shuō wǒ de hóng hàn shān zěn me biàn dà le
不大也不小。他说："我的红汗衫怎么变大了？"

xiǎo xióng zài cǎo cóng li zhǎo dào le tā chuānshànghóng hàn shān bú
小熊在草丛里找到了，他穿上红汗衫，不

dà yě bù xiǎo tā shuō wǒ de hóng hàn shān zěn me biàn xiǎo le
大也不小，他说："我的红汗衫怎么变小了？"

xiǎo xiàng rèn chū xiǎo xióng chuān de shì zì jǐ de hóng hàn
小象认出小熊穿的是自己的红汗

shān nà hàn shān de xiōng kǒu yǒu gè cǎo méi yìn
衫，那汗衫的胸口有个草莓印。

xiǎo xióng rèn chū xiǎo xiàng chuān de shì zì jǐ de hóng hàn
小熊认出小象穿的是自己的红汗

shān nà hàn shān de xià bǎi chù yǒu gè dòng dong
衫，那汗衫的下摆处有个洞洞。

tā men yì qǐ shuō wǒ men jiāo huàn chuān ba
他们一起说："我们交换穿吧。"

yǐ hòu xiǎo xiàng hé xiǎo xióng dōu biàn de dà fang le
以后，小象和小熊都变得大方了。

亲子悄悄话：

小象和小熊交换了红汗衫后，穿着都很舒服。我们如果大方地对待别人，自己也会受益的，太小气可不会受欢迎哦！

大冬瓜变大黄瓜

★★★

苏 梅/著

咚咚喜欢吃汉堡、炸鸡和薯条。妈妈说："咚咚，你吃的都是垃圾食品。"

"难道这些都是从垃圾桶里捡来的？"咚咚故意逗妈妈。

就这样，常常吃垃圾食品的咚咚变得越来越胖了。

这天，老师上课时请小朋友们学说比喻句。

莉莉说："太阳像个大火球。"

阳阳说："弯弯的月亮像根大香蕉。"

丁丁说："咚咚像个大冬瓜。"

哈哈哈，小朋友们都笑了起来，咚咚却难为情地低下了头。

老师说："老师相信咚咚只要少吃垃圾食

品，多运动，大冬瓜肯定会变成大黄瓜的。"

后来，咚咚真的变了，不吃垃圾食品了，喜欢吃水果和蔬菜了，他也慢慢地瘦了下来。

有一天，丁丁说："咚咚，你现在不像大冬瓜，真的像大黄瓜了。"

亲子悄悄话：

　　"垃圾食品"的危害很大，吃多了容易引起肥胖。如果实在想吃，可以请妈妈做健康的西餐，如用清炖鸡肉代替炸鸡块，夹在全麦面包中，多放一些蔬菜，用酸奶代替沙拉酱，这样也很美味哦。

可怕的龙卷风来了

★★★

苏 梅/著

当当猫一家开车出远门，他们的车正开到半路，天色就越来越暗了。

"不对劲，像是龙卷风要来了。"爸爸说。他喜欢探险，对天气很熟悉。

"那我们去大树下或大石头边躲一躲吧。"当当猫说。

dà shù xià　　shí tou biān dōu bù néng duǒ
"大树下、石头边都不能躲，

hěn róng yì bèi zá dào huò yā dǎo　　bà ba guān
很容易被砸到或压倒。"爸爸观

chá le yí xià dì xíng　bǎ chē kāi dào yí gè bǐ
察了一下地形，把车开到一个比

jiào dī de dì fang
较低的地方。

tā tíng hǎo chē shuō　　wǒ men bù néng liú zài chē li
他停好车说："我们不能留在车里，

bù rán kě néng huì bèi lóng juǎn fēng lián chē yì qǐ guā zǒu de
不然可能会被龙卷风连车一起刮走的。"

bà ba dài tā men pǎo dào yì tiáo méi shuǐ de shēn gōu li　zhè shí　yuǎn chù yí dà
爸爸带他们跑到一条没水的深沟里。这时，远处一大

tuán huī hū hū de lóng juǎn fēng zhèng zài jí sù chōng lái
团灰乎乎的龙卷风正在急速冲来。

gǎn kuài pā xià bì shàng yǎn jing hé zuǐ ba yòng shuāng
"赶快趴下，闭上眼睛和嘴巴，用双

shǒu shuāng bì bào zhe tóu yào bǎo hù tóu bù
手、双臂抱着头，要保护头部。"

hōng jù dà de lóng juǎn fēng chōng guò lái dāng dāng
"轰！"巨大的龙卷风冲过来，当当

māo yì jiā jǐn jǐn de tiē zhe dì miàn yí dòng yě bù gǎn dòng
猫一家紧紧地贴着地面，一动也不敢动。

xìng hǎo lóng juǎn fēng hěn kuài jiù guò qù le dāng dāng māo
幸好龙卷风很快就过去了。当当猫

zhēng kāi yǎn jing hé bà ba mā ma bào zài le yì qǐ
睁开眼睛，和爸爸、妈妈抱在了一起。

亲子悄悄话：

　　龙卷风袭来时，如果人在室内，应立即远离门窗和墙壁，最好躲入地下室；如果人在野外，应寻找低洼地形趴下，闭上口、眼，用双臂保护头部，防止被飞来物砸伤。

两根棒棒糖

★★★

苏 梅/著

皮皮狗和跳跳猴都想要棒棒糖，两个人吵了起来。

吵着吵着，跳跳猴来抢皮皮狗

手里的棒棒糖。皮皮狗把跳跳

猴一推，跳跳猴摔了个屁股

墩，他"哇"地哭了起来。

皮皮狗慌了，连忙把棒棒糖塞进跳跳猴的嘴里。

跳跳猴边哭边咬着棒棒糖，才吃了几口，就咳嗽起来。

猴妈妈听到哭声走过来，看到吃了一半的棒棒糖，她问："跳跳猴，你怎么咳嗽了？"

跳跳猴指着自己的喉咙口说："这里不舒服，好像有个东西。"

"可能是被棒棒糖呛到了，妈妈送你去医院吧。"

tiào tiào hóu tū rán dà ké liǎng shēng　　ké chū le yì diǎn er dōng xi　　mā ma yí

跳跳猴突然大咳两声，咳出了一点儿东西。妈妈一

kàn　　guǒ rán shì yì xiǎo kuài bàng bàng táng

看，果然是一小块棒棒糖。

hǎo xiǎn a　　rú guǒ nǐ bù ké chū lái　　wǒ zhǐ néng sòng nǐ qù yī yuàn le

"好险啊，如果你不咳出来，我只能送你去医院了。"

hóu mā ma shuō　　yǐ hòu nǐ men dōu zhī dào le ba

猴妈妈说，"以后你们都知道了吧，

kū de shí hou jué duì bù néng chī dōng xi

哭的时候绝对不能吃东西。"

★ **亲子悄悄话：**

吃东西的时候一定要专心。边哭边吃、边说话边吃都很容易噎着。如果把食物呛到气管里面，严重时还会有生命危险呢！

119

高高的旋转滑梯

★★★

苏 梅/著

bù dài xióng　　hé tao shǔ hé dí kè zhū yì qǐ
布袋熊、核桃鼠和迪克猪一起

qù wán huá tī
去玩滑梯。

dí kè zhū zhàn zài gāo gāo de huá tī kǒu wèn
迪克猪站在高高的滑梯口问：

nǐ men wán guò dào fēi huá tī ma　　qiáo wǒ de
"你们玩过倒飞滑梯吗？瞧我的！"

dí kè zhū fú wò zài huá tī kǒu shuāng bì zhāng kāi zhèng yào wǎng
迪克猪俯卧在滑梯口，双臂张开，正要往

xià chōng bèi bù dài xióng yì bǎ lā zhù bù néng dào zhe huá huá tī zhè yàng bù ān quán
下冲，被布袋熊一把拉住："不能倒着滑滑梯，这样不安全。"

wǒ shì kāi wán xiào de dí kè zhū zuò zài huá tī shang hū de yí xià
"我是开玩笑的！"迪克猪坐在滑梯上，"呼"地一下

huá le xià qù
滑了下去。

bù dài xióng yě gēn zhe huá le xià lái tā men zài xià miàn děng hé tao shǔ huá xià lái
布袋熊也跟着滑了下来，他们在下面等核桃鼠滑下来。

kě shì hé tao shǔ huá dào yí bàn tíng zhù le tā yǎng miàn tǎng zài huá tī shang niǔ
可是核桃鼠滑到一半停住了，他仰面躺在滑梯上，扭

dòng zhe shēn tǐ bù dài xióng hé dí kè zhū jué de qí guài jiù pǎo guò qù kàn
动着身体。布袋熊和迪克猪觉得奇怪，就跑过去看。

bú kàn bù zhī dào yí kàn xià yí tiào hé táo shǔ chuān de lián mào shānshang yǒu gēn
不看不知道，一看吓一跳！核桃鼠穿的连帽衫上有根

^{shéng zi}绳子，^{zhè gēn shéng zi rào guò tā de bó zi bèi}这根绳子绕过她的脖子，被^{huá tī biān shang de jiē kǒu gōu zhù le hé tao shǔ}滑梯边上的接口勾住了。核桃鼠^{de liǎn biē de tōng hóng yǐ jīng shuō bù chū huà lái le}的脸憋得通红，已经说不出话来了。^{bù dài xióng cóng xià miàn tuō zhù hé tao shǔ de}布袋熊从下面托住核桃鼠的^{shēn tǐ dí kè zhū bǎ gōu zhù de shéng zi lā chū lái}身体，迪克猪把勾住的绳子拉出来。^{hé tao shǔ zhōng yú dé jiù le}核桃鼠终于得救了！

亲子悄悄话：

玩滑梯时不能推和挤，人多时要排队一个个来，以免从高处摔下来。也不要穿有绳子、有很多装饰品的衣服，万一被卡住了会有危险。另外，要有家长或老师在身旁，不能一个人玩哦！

墙上的洞洞眼

★★★

苏 梅/著

dí kè zhū kàn jiàn qiáng bì shang yǒu liǎng gè dòng dong
迪克猪看见墙壁上有两个洞洞

yǎn tā hào qí de wèn nǐ shì qiáng bì de yǎn jing ma
眼，他好奇地问："你是墙壁的眼睛吗？

nǐ shì qiáng bì de bí kǒng ma nǐ shì qiáng bì de ěr duo
你是墙壁的鼻孔吗？你是墙壁的耳朵

kǒng ma kě dòng dong yǎn dōu bù huí dá
孔吗？"可洞洞眼都不回答。

nǐ bù lǐ wǒ wǒ kě yào náo nǐ de yǎng yang
"你不理我，我可要挠你的痒痒

le dí kè zhū xiǎng bǎ wěi ba shēn jìn dòng dong yǎn li
了。"迪克猪想把尾巴伸进洞洞眼里，

123

kě shì shēn bú jìn qù
可是伸不进去。

dí kè zhū zhǎo lái yì gēn xiǎo tiě dīng xiǎng wǎng dòng
迪克猪找来一根小铁钉，想往洞

dòng yǎn li tǒng mā ma pū guò lái zhuā zhù dí kè zhū de
洞眼里捅。妈妈扑过来抓住迪克猪的

shǒu dà jiào yì shēng nǐ bú yào mìng le dòng dong yǎn
手，大叫一声：“你不要命了！洞洞眼

li zhù zhe diàn lǎo hǔ diàn lǎo hǔ kě xiōng le yào shi pèng dào tā jiù
里住着电老虎，电老虎可凶了，要是碰到它，就

huì bèi yǎo zhù bú fàng de
会被咬住不放的。”

mā ma zhǎo lái yì juàn kuān kuān de tòu míng jiāo dài zhǐ biān tiē biān
妈妈找来一卷宽宽的透明胶带纸，边贴边

shuō wǒ men yì qǐ lái bǎ dòng dong yǎn tiē diào bǎ diàn lǎo hǔ guān zài
说：“我们一起来把洞洞眼贴掉，把电老虎关在

lǐ miàn bú ràng tā chū lái hài rén
里面，不让它出来害人。”

māma yòu zhǐ zhe diàn shì jī diàn bīng xiāng de chā tóu
妈妈又指着电视机、电冰箱的插头

shuō zhè xiē chā tóu bǎ dòng dong yǎn chā zhù le nǐ yě bù
说："这些插头把洞洞眼插住了，你也不

néng dòng lǐ miàn yě yǒu diàn lǎo hǔ de
能动，里面也有电老虎的。"

dí kè zhū diǎn dian tóu tā zài yě bù xiǎng qù pèng dòng
迪克猪点点头，他再也不想去碰洞

dong yǎn li de diàn lǎo hǔ le
洞眼里的电老虎了。

★ **亲子悄悄话：**

　　墙壁上的洞洞眼是电插座，用来插电器插头。我们要远离电源，不把手指、小刀、铁钉等伸进带电的插座里；不在高压电线下面放风筝；不用湿手去拔电线插头；遇到落在地面的电线时，要远离。

雷雨哗啦啦

★★★

苏 梅/著

迪克猪和花斑牛爬到半山腰时，听到了轰隆隆的打雷声。他们开始下山，可是雨比他们走得快，很快落下来了。

迪克猪说："我们到那棵大树下去避雨吧。"

"不行！大树容易招雷打，万一树断了还会压到我们。"花斑牛说。

"那到山顶上的亭子里去避雨吧。"迪克猪说。

"也不行！山顶上的亭子最容易招雷打。"花斑牛说。

"那就到大石头底下去避雨吧。"迪克猪说。

"大石头下面也不能避雷。"花斑牛说，"还有，雨水会把大石头周围的

^{ní tǔ chōngsōng   dà shí tou rú guǒ yā xià lái}
泥土冲松，大石头如果压下来，

^{wǒ men jiù quán wán le}
我们就全完了。"

^{tā men zhǐ néngwǎngshān xià pǎo   pǎo jìn shāng}
他们只能往山下跑，跑进商

^{chǎng dà lóu li duǒ yǔ}
场大楼里躲雨。

^{shāngchǎng dà lóu de dǐng jiān jiān de   bú}
"商场大楼的顶尖尖的，不

^{shì yě róng yì zhāo léi dǎ ma   dí kè zhū wèn}
是也容易招雷打吗？"迪克猪问。

^{kè shì xiàng zhè yàng gāo dà de jiàn zhù wù dōu ān}
"可是像这样高大的建筑物都安

^{zhuāng le bì léi zhēn suǒ yǐ jiù bú pà léi dǎ le   huā}
装了避雷针，所以就不怕雷打了。"花

^{bān niú shuō}
斑牛说。

★ **亲子悄悄话：**

　　夏天是雷雨天气的高发季节，我们出门前最好提前看天
气预报，以便做好准备带上雨具。打雷时，宝宝应远离窗户，
在家里不要看电视、玩电脑，并请大人拔下电源插头。

柜子里住着小螃蟹

★★★

苏 梅/著

毛毛猴家有好几个柜子，这些柜子都有门。柜子里有什么呢？毛毛猴觉得很好奇。

"笃笃笃"，毛毛猴敲着衣柜的门问："谁在里面呢？"可是没有人回答他。

毛毛猴拉开衣柜的一扇门，看见了

很多衣服。哦，原来妈妈把自己的衣服放在这里呀。

毛毛猴想关上衣柜的门，他使劲地一推。

"哇！"毛毛猴疼得跳了起来，他的左手被柜子的门夹到了。

眼泪在毛毛猴的眼睛里打转转，他喊："妈妈，我的手让柜子的门咬疼了。"

妈妈看到毛毛猴的左手红红的，

^{tā qīng qīng de mō le mō} ^{rán hòu bǎ bīng kuài fàng zài le zhè zhī shǒushang}
她轻轻地摸了摸，然后把冰块放在了这只手上。

^{guì zi li dōu zhù zhe yì zhī kàn bú jiàn de xiǎo páng xiè} ^{wǒ men kāi mén hé guān}
"柜子里都住着一只看不见的小螃蟹，我们开门和关

^{mén shí dōu yào hěn xiǎo xīn} ^{bù rán jiù huì bèi xiǎo páng xiè jiā dào} ^{mā ma shuō}
门时都要很小心，不然就会被小螃蟹夹到。"妈妈说。

^{máo máo hóu shuō} ^{yǐ hòu wǒ huì xiǎo xīn diǎn} ^{bú huì ràng}
毛毛猴说："以后我会小心点，不会让

^{zhè xiē xiōng bā bā de xiǎo páng xiè jiā dào le}
这些凶巴巴的小螃蟹夹到了。"

亲子悄悄话：

　　进出的大门、电梯门、橱柜门、冰箱门等都很容易夹到人，所以我们在开关门时要非常小心，避免被撞到或夹疼。

飞奔的蜗牛

yì tiān zǎo shang　　wō niú bà ba duì sān gè ér zi shuō　　hái
一天早上，蜗牛爸爸对三个儿子说："孩

zi men　xià yǔ le　wǒ men chū qù sàn bù ba
子们，下雨了，我们出去散步吧！"

shuāng bāo tāi xiōng di hǎn dào　　tài bàng le　　chí dùn de
双胞胎兄弟喊道："太棒了！迟钝的

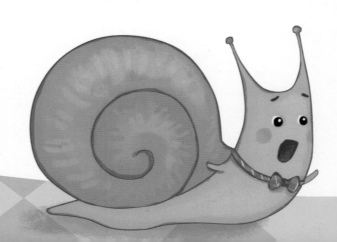

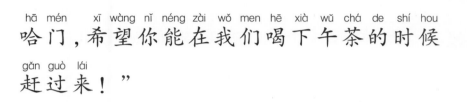

哈门，希望你能在我们喝下午茶的时候
赶过来！"

　　哈门知道他爬得很慢，但是因为这
样就说他迟钝，实在是太不公平了。很快，哈
门有了一个主意。当所有人都出发了之后，他
从蜗牛壳里爬出来，往身上涂
满了橄榄油。

133

tā gāo xìng de shuō zhè yàng wǒ yí gè rén yě kě yǐ zǒu chū fā hā mén
他高兴地说：“这样我一个人也可以走，出发！”哈门
huá de fēi kuài děng tā huá dào shān dǐ de shí hou fā xiàn suǒ yǒu de wō niú cái gāng gāng
滑得飞快，等他滑到山底的时候，发现所有的蜗牛才刚刚
dào shān yāo tā dé yì jí le zhàn zài shān dǐ duì shuāng bāo tāi xiōng di men hǎn dào jiā
到山腰。他得意极了，站在山底对双胞胎兄弟们喊道：“加
yóu wǒ děng nǐ men o nǐ men xiǎng ràng wǒ bāng máng ná bēi bāo ma
油，我等你们哦！你们想让我帮忙拿背包吗？”

méi yǒu rén zhī dào hā mén de mì mì dàn shì cóng nà
没有人知道哈门的秘密，但是从那
tiān qǐ dà jiā dōu jiào tā fēi bēn de wō niú
天起，大家都叫他“飞奔的蜗牛”。

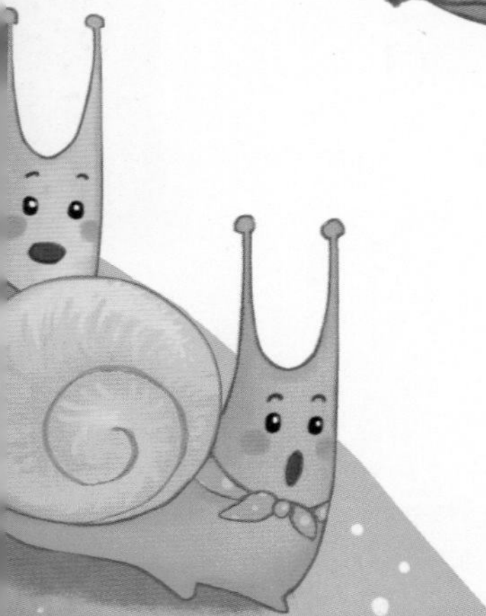

亲子悄悄话：

虽然哈门的爬行速度在蜗牛兄弟里是最慢的，但他很聪明，知道扔掉身上多余的重量可以加快速度。

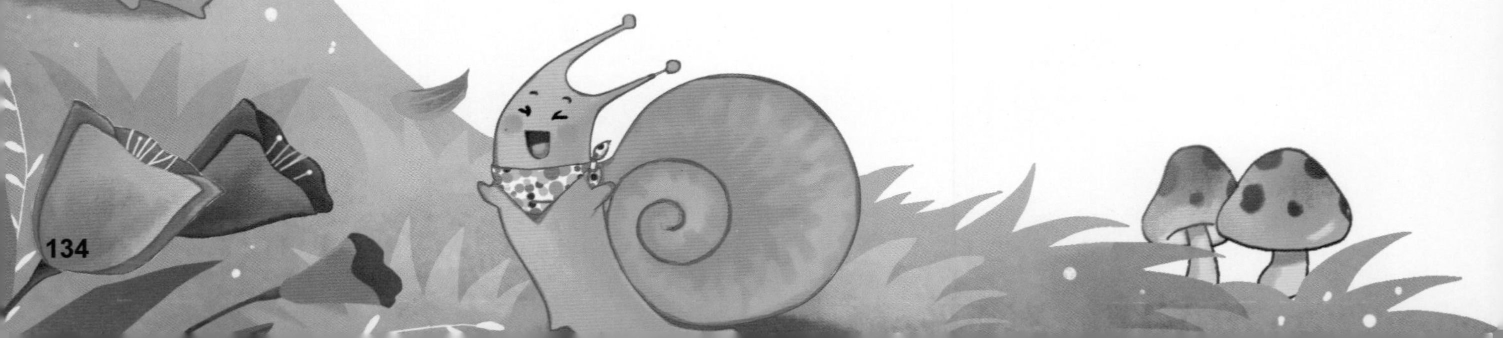

好玩的空罐子

★★★

苏 梅/著

xiǎo zhū shōu jí le xǔ duō kōng guàn zi　tā bǎ kōng guàn
小猪收集了许多空罐子，他把空罐
zi xǐ gān jìng shài gān　xiǎo hóu xiào hua xiǎo zhū　nǐ shì
子洗干净、晒干。小猴笑话小猪："你是
shōu pò làn de ma
收破烂的吗？"
jī jī gā gā　xiǎo zhū yòng yì zhī guàn zi zuò le yì
叽叽嘎嘎，小猪用一只罐子做了一

135

sōu xiǎo chuán xiǎo lǎo shǔ chéng zhe guàn zi chuánháng hǎi qù le
艘小船。小老鼠乘着罐子船航海去了。

zhī zhī wū wū xiǎo zhū yòng liǎng gè guàn zi zuò le
吱吱呜呜，小猪用两个罐子做了

yí duì gāo qiāo xiǎo gǒu wán qǐ le yǒu qù de cǎi gāo qiāo
一对高跷。小狗玩起了有趣的踩高跷。

pīng pīng pāng pāng xiǎo zhū yòng hěn duō guàn zi dā le
乒乒乓乓，小猪用很多罐子搭了

yí zuò fáng xiǎo māo yǒu le piào liang de xīn fáng zi
一座房。小猫有了漂亮的新房子。

dīng dīng dāng dāng xiǎo zhū yòng hěn duō hěn duō de guàn
叮叮当当，小猪用很多很多的罐

zi zuò le yí liè huǒ chē　huǒ chē hǎo cháng hǎo cháng ya
子做了一列火车，火车好长好长呀！

xiǎo dòng wù men dōu lái le　xiǎo hóu shuō　xiǎo zhū　nǐ zhēn cōng míng
小动物们都来了。小猴说："小猪，你真聪明！"

xiǎo dòng wù men chéng shàng guàn zi huǒ chē chū fā le　yì qǐ qù shōu jí kōng guàn zi le
小动物们乘上罐子火车出发了，一起去收集空罐子了。

hāi hāi kēng kēng　xiǎo zhū hé dà jiā yì qǐ　yòng hěn duō hěn duō de kōng guàn zi jiàn
嗨嗨吭吭，小猪和大家一起，用很多很多的空罐子建

zào le yí gè yóu lè chǎng　hāi　dà jiā kuài qù guàn zi yóu lè chǎng wán ba
造了一个游乐场。嗨，大家快去罐子游乐场玩吧！

亲子悄悄话：
只要肯动脑筋，空罐子也能变成很多有趣的东西，这样做不仅废物利用，还很环保。想一想，还有哪些东西也能变一变呢？

送你一个小板凳

苏　梅/著

shān māo yé ye měi tiān zuò zài hé biān diào yú yí zuò jiù shì dà bàn tiān
山猫爷爷每天坐在河边钓鱼，一坐就是大半天。

yáng dà shěn zuò zài lù biān de shí tou shang mài zì jǐ zhòng de cài
羊大婶坐在路边的石头上，卖自己种的菜。

tù nǎi nai xǐ huan sàn bù zǒu lèi le jiù zuò zài cǎo dì shang xiē yì xiē
兔奶奶喜欢散步，走累了，就坐在草地上歇一歇。

tiān qì jiàn jiàn lěng le xiǎo xióng xiǎng tā men zài zhè yàng zuò zhe huì zháo liáng de
天气渐渐冷了，小熊想：他们再这样坐着会着凉的。

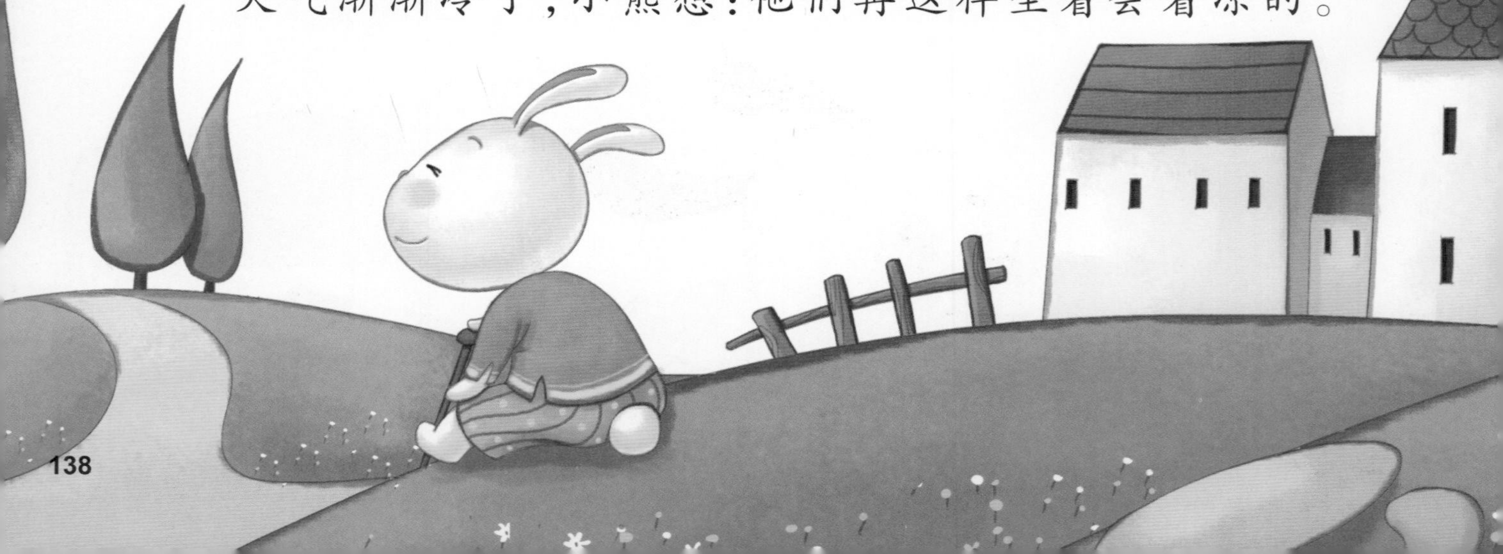

小熊来到木匠猪大伯家："我想做几个小板凳，您能帮我吗？"

猪大伯点点头："那里是锯下来的木块，你自己找吧，还有半瓶白胶，你也拿去用吧。"

小熊找了一些木块，又用白胶把木块小心地粘起来，粘成一个小板凳。

139

xiǎo xióng yòu zài dèng miàn hé dèng jiǎo lián jiē
小熊又在凳面和凳脚连接

de dì fang dìng shàng dīng zi ràng xiǎo bǎn dèng gèng
的地方钉上钉子，让小板凳更

jiē shi
结实！

xiǎo xióng hái yòng shā zhǐ bǎ bǎn dèng miàn shang
小熊还用砂纸把板凳面上

mó mo píng ràng xiǎo bǎn dèng gèng guāng huá
磨磨平，让小板凳更光滑！

xiǎo xióng zuò le xǔ duō xiǎo bǎn dèng sòng gěi
小熊做了许多小板凳送给

dà jiā shān māo yé ye yáng dà shěn hé tù
大家。山猫爷爷、羊大婶和兔

nǎi nai gāo xìng de shuō zhè zhèng shì wǒ men xiǎng
奶奶高兴地说："这正是我们想

yào de xiè xie nǐ kě ài de xiǎo xióng
要的，谢谢你！可爱的小熊。"

亲子悄悄话：

　　小熊不仅聪明，而且善良，所以大家觉得他很可爱，都喜欢他。如果你想成为一个可爱的孩子，知道自己该怎样做了吗？

聪明的小鸭

★★★

苏 梅/著

小鸭出门去，遇到了狐狸。狐狸想吃掉
xiǎo yā chū mén qù   yù dào le hú li   hú li xiǎng chī diào

小鸭，他说："我是好心肠的狐狸，我最喜欢吃
xiǎo yā   tā shuō   wǒ shì hǎo xīn cháng de hú li   wǒ zuì xǐ huan chī

青草，我们做朋友吧。"
qīng cǎo   wǒ men zuò péng you ba

小鸭点点头："我喜欢吃青草的朋友。"
xiǎo yā diǎn dian tóu   wǒ xǐ huan chī qīng cǎo de péng you

他们来到花园里，狐狸走在小鸭的后面，看看四周没人，就朝小鸭扑过去，没想到小鸭也往前一跳。

他们来到草地上，狐狸又走在小鸭的后面，看看四周没人，正想朝小鸭扑过去。小鸭突然转过身来说："这里的青草长得好，你要不要吃一点？"

他们来到小河边。狐狸两次没吃到小鸭，很生气，朝小鸭猛扑过去。没想到小鸭往河里一跳，狐狸也"扑通"一声，掉到了河里。

"救命！你快救我呀。"狐狸喊。

小鸭游上岸，对河里的狐狸说："你
这个大坏蛋，我才不上你的当呢！"
狐狸沉到河底去了，小鸭高高兴兴地回家了。

亲子悄悄话：

狐狸发现小鸭落了单，才会想要吃掉它。宝宝
如果一个人去了陌生的地方，也会很危险。和大家
在一起才不会被坏人骗。

钻石胸针不见了

★★★

苏 梅/著

dòng wù kuánghuān jié kāi shǐ le　　yīn yuè
动物狂欢节开始了，音乐

xiǎng qǐ lái le　　dà jiā huān kuài de tiào zhe wǔ
响起来了，大家欢快地跳着舞。

tū rán　　xióng tài tai jiào qǐ lái　　　　āi
突然，熊太太叫起来："哎

yā　　wǒ de zuàn shí xiōng zhēn bú jiàn le
呀，我的钻石胸针不见了！"

"会不会掉在地上了？"大家都在地上找，可是没找到。

后来猪探长来了，赶快调查，结果他在小狮子长长的头发里找到了钻石胸针。

熊太太生气地说："小狮子，你为什么要偷我的钻石胸针？"

"我没偷，我真的没偷……"小狮子委屈地哭起来。

猪探长让大家继续跳舞。大家都很奇怪：跳舞和抓小偷有什么关系？

猪探长看着他们跳舞，说："小狮

xiǎo shī zi què shí méi yǒu tōu zuàn shí xiōng zhēn　zhè shì yí gè wù huì
"小狮子确实没有偷钻石胸针,这是一个误会!"

dà jiā hái shi bù míng bai　zhū tàn zhǎng shuō　tiào wǔ shí
大家还是不明白。猪探长说:"跳舞时,

dà jiā pèng lái pèng qù　xióng tài tai de zuàn shí xiōng zhēn jiù bèi xiǎo shī
大家碰来碰去,熊太太的钻石胸针就被小狮

zi de cháng tóu fa guà zhù le
子的长头发挂住了。"

亲子悄悄话:

　　幸亏猪探长够细心,没有一开始就乱下结论,要不然,小狮子可就被冤枉了。看来,遇到问题时,先想办法调查清楚很重要啊!

勇敢的布娃娃

★★★

苏 梅/著

bù wá wa kàn jiàn lǎo hǔ zài zhuī xiǎo bái tù jiù dà
布娃娃看见老虎在追小白兔，就大

jiào yì shēng bié chī xiǎo tù nǐ lái chī wǒ ba
叫一声："别吃小兔，你来吃我吧。"

lǎo hǔ diū xià xiǎo tù zhuā zhù le bù wá wa wǒ
老虎丢下小兔，抓住了布娃娃："我

yào chī diào nǐ
要吃掉你。"

chī wǒ kě yǐ bú guò nǐ de wèi huì bù shū
"吃我可以，不过，你的胃会不舒

fu de yīn wèi wǒ shì mián huā hé bù tóu zuò de
服的，因为我是棉花和布头做的。"

147

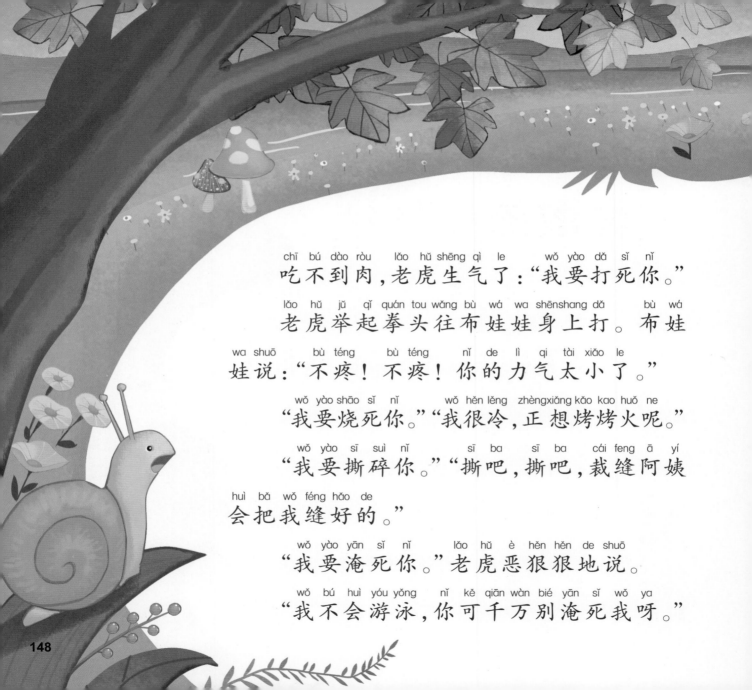

chī bú dào ròu，lǎo hǔ shēng qì le：wǒ yào dǎ sǐ nǐ
吃不到肉，老虎生气了："我要打死你。"

lǎo hǔ jǔ qǐ quán tou wǎng bù wá wa shēnshang dǎ　bù wá
老虎举起拳头往布娃娃身上打。布娃

wa shuō　bù téng　bù téng　nǐ de lì qi tài xiǎo le
娃说："不疼！不疼！你的力气太小了。"

wǒ yào shāo sǐ nǐ　wǒ hěn lěng　zhèngxiǎng kǎo kao huǒ ne
"我要烧死你。""我很冷，正想烤烤火呢。"

wǒ yào sī suì nǐ　sī ba　sī ba　cái feng ā yí
"我要撕碎你。""撕吧，撕吧，裁缝阿姨

huì bǎ wǒ féng hǎo de
会把我缝好的。"

wǒ yào yān sǐ nǐ　lǎo hǔ è hěn hěn de shuō
"我要淹死你。"老虎恶狠狠地说。

wǒ bú huì yóu yǒng　nǐ kě qiān wàn bié yān sǐ wǒ ya
"我不会游泳，你可千万别淹死我呀。"

老虎一听，马上把布娃娃往河里一扔，等布娃娃沉下去后他才走开。

老乌龟把布娃娃推到岸上，让她躺着晒太阳。太阳把布娃娃身体里的水都晒干了，勇敢的布娃娃又站起来了。

亲子悄悄话：

布娃娃如果真的被老虎吃掉、烧死或撕碎，可就真的完了。只有想办法离开老虎的手掌心，她才有得救的机会。布娃娃真聪明！

天空婆婆的彩虹发夹

★★★

苏 梅/著

mā ma gěi niū niu jiā le gè hóng fà jiā　　tù mèi mei kàn jiàn
妈妈给妞妞夹了个红发夹。兔妹妹看见

le shuō　　hóng fà jiā zhēn piào liang　　wǒ yě yào jiā
了说："红发夹真漂亮！我也要夹。"

niū niu jiù bǎ hóng fà jiā jiā zài le tù mèi mei de tóu shang
妞妞就把红发夹夹在了兔妹妹的头上。

mā ma yòu gěi niū niu jiā le yí gè huáng fà jiā　　māo jiě jie
妈妈又给妞妞夹了一个黄发夹。猫姐姐

kàn jiàn le shuō　　huáng fà jiā zhēn piào liang　　wǒ
看见了说："黄发夹真漂亮！我

150

yě yào jiā
也要夹。"

niū niu jiù bǎ huáng fà jiā jiā zài le māo jiě jie de tóu shang
妞妞就把黄发夹夹在了猫姐姐的头上。

mā ma yòu gěi niū niu jiā le yí gè lán fà jiā mǔ jī ā yí kàn jiàn le shuō
妈妈又给妞妞夹了一个蓝发夹。母鸡阿姨看见了说：

lán fà jiā zhēn piào liang wǒ yě yào jiā
"蓝发夹真漂亮！我也要夹。"

niū niu jiù bǎ lán fà jiā jiā zài le mǔ jī ā yí de tóu shang
妞妞就把蓝发夹夹在了母鸡阿姨的头上。

mā ma gěi niū niu jiā le yí gè cǎi sè fà jiā tiān kōng pó po
妈妈给妞妞夹了一个彩色发夹。天空婆婆

kàn jiàn le shuō cǎi sè fà jiā zhēn piào liang wǒ yě yào jiā
看见了说："彩色发夹真漂亮！我也要夹。"

zhè kě bǎ niū niu gěi nán zhù le niū niu kě méi yǒu bàn fǎ gěi
这可把妞妞给难住了，妞妞可没有办法给

tiān kōng pó po jiā fà jiā ya
天空婆婆夹发夹呀。

151

"我有办法。"彩虹姐姐在空中挂上了一道彩虹。

大家看着天空都说："天空婆婆的彩虹发夹又大又亮，最漂亮！"

天空婆婆高兴地笑着说："太好啦，我也有漂亮的发夹啦！"

亲子悄悄话：

妞妞真是一个大方、可爱的小姑娘，愿意把自己的好东西送给朋友们。你会和小伙伴们分享好吃的、好玩的吗？

了不起的长胡子

苏 梅/著

尼格爷爷的下巴上只有一根胡子，
这根胡子平时卷成一团。

这天，尼格爷爷1个人在听流浪歌
手小猪咪姆吉他弹唱。

咪姆唱得真好听！2只小熊走
来了，3只小猫踩着猫步扭来了，4只
狐狸和5只猴子赶来了，6只小狗跑
来了，7只老鼠蹿来了，8只兔子蹦来

<ruby>了<rt></rt></ruby>，9<ruby>只<rt>zhī</rt></ruby><ruby>青<rt>qīng</rt></ruby><ruby>蛙<rt>wā</rt></ruby><ruby>跳<rt>tiào</rt></ruby><ruby>来<rt>lái</rt></ruby><ruby>了<rt>le</rt></ruby>，10<ruby>只<rt>zhī</rt></ruby><ruby>刺<rt>cì</rt></ruby><ruby>猬<rt>wei</rt></ruby><ruby>滚<rt>gǔn</rt></ruby><ruby>来<rt>lái</rt></ruby><ruby>了<rt>le</rt></ruby>。

<ruby>站<rt>zhàn</rt></ruby><ruby>在<rt>zài</rt></ruby><ruby>外<rt>wài</rt></ruby><ruby>圈<rt>quān</rt></ruby><ruby>的<rt>de</rt></ruby><ruby>小<rt>xiǎo</rt></ruby><ruby>动<rt>dòng</rt></ruby><ruby>物<rt>wù</rt></ruby><ruby>着<rt>zháo</rt></ruby><ruby>急<rt>jí</rt></ruby><ruby>地<rt>de</rt></ruby><ruby>说<rt>shuō</rt></ruby>："<ruby>我<rt>wǒ</rt></ruby><ruby>们<rt>men</rt></ruby><ruby>看<rt>kàn</rt></ruby><ruby>不<rt>bú</rt></ruby><ruby>见<rt>jiàn</rt></ruby><ruby>咪<rt>mī</rt></ruby><ruby>姆<rt>mǔ</rt></ruby>！"

"<ruby>我<rt>wǒ</rt></ruby><ruby>有<rt>yǒu</rt></ruby><ruby>办<rt>bàn</rt></ruby><ruby>法<rt>fǎ</rt></ruby>！"<ruby>尼<rt>ní</rt></ruby><ruby>格<rt>gé</rt></ruby><ruby>爷<rt>yé</rt></ruby><ruby>爷<rt>ye</rt></ruby><ruby>把<rt>bǎ</rt></ruby><ruby>长<rt>cháng</rt></ruby><ruby>胡<rt>hú</rt></ruby><ruby>子<rt>zi</rt></ruby><ruby>伸<rt>shēn</rt></ruby><ruby>到<rt>dào</rt></ruby><ruby>地<rt>dì</rt></ruby><ruby>上<rt>shang</rt></ruby>，<ruby>让<rt>ràng</rt></ruby><ruby>咪<rt>mī</rt></ruby><ruby>姆<rt>mǔ</rt></ruby>

<ruby>站<rt>zhàn</rt></ruby><ruby>在<rt>zài</rt></ruby><ruby>胡<rt>hú</rt></ruby><ruby>子<rt>zi</rt></ruby><ruby>上<rt>shang</rt></ruby>。<ruby>胡<rt>hú</rt></ruby><ruby>子<rt>zi</rt></ruby><ruby>慢<rt>màn</rt></ruby><ruby>慢<rt>màn</rt></ruby><ruby>地<rt>de</rt></ruby><ruby>往<rt>wǎng</rt></ruby><ruby>上<rt>shàng</rt></ruby><ruby>升<rt>shēng</rt></ruby>，<ruby>升<rt>shēng</rt></ruby><ruby>到<rt>dào</rt></ruby><ruby>半<rt>bàn</rt></ruby><ruby>空<rt>kōng</rt></ruby><ruby>中<rt>zhōng</rt></ruby><ruby>停<rt>tíng</rt></ruby><ruby>住<rt>zhù</rt></ruby><ruby>了<rt>le</rt></ruby>。

<ruby>咪<rt>mī</rt></ruby><ruby>姆<rt>mǔ</rt></ruby><ruby>稳<rt>wěn</rt></ruby><ruby>稳<rt>wěn</rt></ruby><ruby>地<rt>de</rt></ruby><ruby>站<rt>zhàn</rt></ruby><ruby>在<rt>zài</rt></ruby><ruby>了<rt>le</rt></ruby><ruby>尼<rt>ní</rt></ruby><ruby>格<rt>gé</rt></ruby><ruby>爷<rt>yé</rt></ruby><ruby>爷<rt>ye</rt></ruby><ruby>笔<rt>bǐ</rt></ruby><ruby>直<rt>zhí</rt></ruby><ruby>的<rt>de</rt></ruby><ruby>胡<rt>hú</rt></ruby><ruby>子<rt>zi</rt></ruby><ruby>上<rt>shang</rt></ruby>。

"<ruby>哇<rt>wa</rt></ruby>，<ruby>太<rt>tài</rt></ruby><ruby>棒<rt>bàng</rt></ruby><ruby>了<rt>le</rt></ruby>！<ruby>我<rt>wǒ</rt></ruby><ruby>们<rt>men</rt></ruby><ruby>也<rt>yě</rt></ruby><ruby>想<rt>xiǎng</rt></ruby><ruby>站<rt>zhàn</rt></ruby><ruby>在<rt>zài</rt></ruby><ruby>胡<rt>hú</rt></ruby><ruby>子<rt>zi</rt></ruby><ruby>上<rt>shang</rt></ruby>，<ruby>行<rt>xíng</rt></ruby><ruby>不<rt>bù</rt></ruby><ruby>行<rt>xíng</rt></ruby>？"

zhǐ yǒu xiǎng bú dào méi yǒu zuò bú dào ní gé yé
"只有想不到，没有做不到！"尼格爷

ye jiù ràng dà jiā dōu zhàn zài tā de cháng hú zi shang
爷就让大家都站在他的长胡子上。

mī mǔ tán chàng zhe dà jiā zài bàn kōng zhōng de hú zi shang
咪姆弹唱着，大家在半空中的胡子上

tiào wǔ kāi xīn jí le
跳舞，开心极了！

★ 亲子悄悄话：

　　引导孩子认识数字1~10，会从1数到10；知道数字所表示的实物的量，逐步理解数字和实物之间的对应关系。

155

美好的一对儿

★★★

苏 梅/著

shǎn diàn xióng gēn zhe mā ma qù cān jiā tù gū niang hé tù xiān sheng de hūn lǐ
闪电熊跟着妈妈去参加兔姑娘和兔先生的婚礼。

yīn yuè xiǎng qǐ zhǔ chí hūn lǐ de hé mǎ xiān sheng shuō
音乐响起，主持婚礼的河马先生说：

ràng wǒ men zhù fú zhè yí duì xīn rén ba
"让我们祝福这一对新人吧！"

xióng mā ma gǎn dòng de shuō zhēn shì měi hǎo de yí duì er
熊妈妈感动地说："真是美好的一对儿！"

156

“什么是一对儿？”闪电熊马上问。

“一对儿就是……”妈妈把两根食指并在了一起。

闪电熊想找更多的“一对儿”。他往左边看，看到了猫宝宝和猫贝贝，她们是一对儿双胞胎。

闪电熊往右边看，看到猴妈妈的花边手套是一对儿，珍珠耳环也是一对儿。

闪电熊往前面看，看到兔新娘和兔新郎的戒指是一对儿。

157

shǎn diàn xióng wǎng hòu miàn kàn   kàn dào shī xiǎo jiě
闪电熊往后面看,看到狮小姐

biàn zi shang de hú dié jié shì yí duì er
辫子上的蝴蝶结是一对儿。

shǎn diàn xióng wǎng xià kàn   kàn dào zì jǐ de xié
闪电熊往下看,看到自己的鞋

zi shì yí duì er   wà zi yě shì yí duì er   tā
子是一对儿,袜子也是一对儿。他

xiǎng   hé wǒ yí duì er de hǎo péng you zài nǎ er ne
想:和我一对儿的好朋友在哪儿呢?

hūn lǐ jié shù le   shǎn diàn xióng qù xún zhǎo hé
婚礼结束了,闪电熊去寻找和

tā yí duì er de hǎo péng you le
他一对儿的好朋友了。

亲子悄悄话:

引导孩子理解配对的含义,学习将两个相同的
物品配成一对,能在日常生活中寻找一对儿的东西。

小兔第一天上幼儿园

★★★

苏 梅/著

xiǎo tù dì yī tiān shàng yòu ér yuán dà xióng lǎo shī ràng tā men pái duì
小兔第一天上幼儿园，大熊老师让他们排队。

xiǎo jī pái dì xiǎo yā pái dì xiǎo māo pái dì
小鸡排第1，小鸭排第2，小猫排第3，

xiǎo gǒu pái dì xiǎo hóu pái dì zhū
小狗排第4，小猴排第5，猪

bèi bei pái dì zhū bǎo bao pái dì
贝贝排第6，猪宝宝排第7，

méi huā lù pái dì xiǎo hé mǎ pái dì
梅花鹿排第8，小河马排第9。

xiǎo tù bù zhī dào zì jǐ gāi pái
小兔不知道自己该排

zài nǎ lǐ tā zǒu dào le duì wǔ de zuì
在哪里，他走到了队伍的最

qián miàn
前面。

159

xiǎo tù zěn me pái zài le wǒ de qián miàn xiǎo
"小兔怎么排在了我的前面？"小

jī shuō
鸡说。

tā shì xīn xiǎo péng yǒu jiù ràng tā pái dì gè
"他是新小朋友，就让他排第1个

ba dà xióng lǎo shī shuō
吧。"大熊老师说。

ā hā xiàn zài xiǎo tù pái dì xiǎo jī pái dì
啊哈，现在小兔排第1，小鸡排第

xiǎo yā pái dì xiǎo māo pái dì xiǎo gǒu pái dì
2，小鸭排第3，小猫排第4，小狗排第

xiǎo hóu pái dì zhū bèi bei pái dì zhū bǎo bao pái
5，小猴排第6，猪贝贝排第7，猪宝宝排

160

dì　　méi huā lù pái dì　　xiǎo hé mǎ pái dì
第8，梅花鹿排第9，小河马排第10。

xiàng hòu zhuǎn　　qí bù zǒu　　dà xióng lǎo shī shuō
"向后转！齐步走！"大熊老师说。

hā　xiàn zài xiǎo tù pái dì　　xiǎo jī pái dì
哈，现在小兔排第10，小鸡排第9，

xiǎo yā pái dì　　xiǎo māo pái dì　　xiǎo gǒu pái dì　　xiǎo
小鸭排第8，小猫排第7，小狗排第6，小

hóu pái dì　　zhū bèi bei pái dì　　zhū bǎo bao pái dì
猴排第5，猪贝贝排第4，猪宝宝排第3，

méi huā lù pái dì　　xiǎo hé mǎ pái dì
梅花鹿排第2，小河马排第1。

亲子悄悄话：
引导孩子理解序数的含义，学习给10以内数量的物品排序。理解序数是相对的。

火箭发射啦

★★★

苏 梅/著

屁屁狗家住在十楼。这天，闪电熊和啊呜龙来他家看电视，电视里正在直播火箭发射。"10、9、8、7、6、5、4、3、2、1，发射！""轰隆"一声，火箭往空中飞去……

chéng gōng la　　　　tā men kāi xīn de jiào qǐ lái
"成功啦！"他们开心地叫起来。

　　tā men kāi shǐ zhé huǒ jiàn　　pì　pì gǒu hé shǎn diàn xióng hěn
他们开始折火箭，屁屁狗和闪电熊很

kuài zhé hǎo le　　kě shì ā wū lóng bú huì zhé
快折好了，可是啊呜龙不会折。

　　tā men xiǎng xià lóu qù wán huǒ jiàn fā shè yóu xì le　　pì
他们想下楼去玩火箭发射游戏了。屁

pì gǒu àn le　　　　de àn niǔ　diàn tī kāi shǐ wǎng xià jiàng
屁狗按了"1"的按钮，电梯开始往下降。

　　　　　lóu　　　lóu　　　lóu　　　lóu
"10楼、9楼、8楼、7楼、6

lóu　　lóu　　　lóu　　　lóu　　　lóu　　　lóu
楼、5楼、4楼、3楼、2楼、1楼。"

　ā wū lóng yì céng céng de shǔ zhe　　　　nǐ men
啊呜龙一层层地数着，"你们

zuò kē xué jiā　　wǒ jiù zuò huǒ jiàn fā shè shí dào shǔ de nà ge rén ba

做科学家，我就做火箭发射时倒数的那个人吧。"

huǒ jiàn yào fā shè le　　nǐ kāi shǐ dào shǔ ba　　pì pì gǒu shuō

"火箭要发射了，你开始倒数吧。"屁屁狗说。

ā　wū lóng dà shēng de shuō　　　　　　　　　　　　　　fā shè

啊呜龙大声地说："10、9、8、7、6、5、4、3、2、1，发射！"

hū　　liǎng méi zhǐ huǒ jiàn dài zhe xī wàng　　fēi xiàng tiān kōng

呼，两枚纸火箭带着希望，飞向天空……

小猪壮壮

苏 梅/著

小猪壮 壮 长得瘦不拉叽

的。爸爸说："你去找熊大师

学本领吧，我希望你成为真的

'壮壮'。"

壮 壮找到了熊大师。熊大师

说："你先给自己做个梅花桩吧。"

什么是梅花桩？怎样做？

壮 壮都不知道，只能动脑

165

筋想。他看到树桩，想到了
好办法。他去砍了两棵树，
用树干做了很多根圆柱状
的、一样高的木桩。

壮壮把木桩使劲地打
进地里。他跳上去走了一遍。
熊大师说："这回对了，圆柱形
的木桩最适合做梅花桩。以后你
每天在上面练习走路吧。"
从此，壮壮天天在梅花桩上
练本领，休息时，他就去种树。他

166

xiǎng wǒ wèi le zuò méi huā zhuāng kǎn le liǎng kē
想：我为了做梅花桩，砍了两棵

shù wǒ děi bǔ zhòng èr shí kē cái xíng
树，我得补种二十棵才行。

sān gè yuè guò qù le zhuàngzhuang zài méi
三个月过去了，壮壮在梅

huā zhuāngshang jiàn bù rú fēi le tā de shēn tǐ
花桩上健步如飞了，他的身体

yě biàn de jiàn zhuàng le dà jiā kàn jiàn le dōu
也变得健壮了。大家看见了都

shuō xiǎo zhū zhuàngzhuang zhēn de hěn zhuàng
说："小猪壮壮，真的很壮！"

★ 亲子悄悄话：

引导孩子认识圆柱体，知道圆柱体两头是一样
大小的圆形，感知其基本特征。结合日常生活，寻
找圆柱体的物品。

巴尔要睡觉

★★★

苏 梅/著

shí jīng líng bā ěr gāng chū shēng　hěn duō shì qing
石精灵巴尔刚出生，很多事情
děi zì jǐ xué　tā yù dào de dì yī gè nán tí
得自己学。他遇到的第一个难题
shì　tā bù zhī dào zì jǐ gāi shén me shí hou shuì jiào
是，他不知道自己该什么时候睡觉？
bā ěr kàn jiàn xióng nǎi nai zài shài bèi zi　tā
巴尔看见熊奶奶在晒被子，他

wèn　　nǎi nai　　nín xiàn zài bú shuì jiào ma
问："奶奶，您现在不睡觉吗？"

dāng rán shì wǎn shang shuì jiào ya　　xióng nǎi nai shuō　　bái tiān yáng guāng zhè me hǎo
"当然是晚上睡觉呀。"熊奶奶说，"白天阳光这么好，

shài shai bèi zi　　wǎn shang jiù shuì de gèng xiāng le
晒晒被子，晚上就睡得更香了。"

bā ěr xiǎng　　wǒ shì bú shì gāi xué xióng nǎi nai yè wǎn shuì jiào ne
巴尔想：我是不是该学熊奶奶夜晚睡觉呢？

bā ěr fēi guò lǎo māo jiā　　kàn jiàn lǎo māo jiā mén shang guà zhe　　shuì jiào zhōng　　qǐng
巴尔飞过老猫家，看见老猫家门上挂着"睡觉中，请

wù dǎ rǎo　　de pái zi　　tā xiǎng　　yuán lái lǎo māo shì
勿打扰"的牌子。他想：原来老猫是

bái tiān shuì jiào de
白天睡觉的，

wǒ shì bú shì gāi xué lǎo māo bái tiān shuì jiào ne
我是不是该学老猫白天睡觉呢？

bā ěr kàn dào yòu ér yuán de xiǎo péng yǒu zài wǔ shuì
巴尔看到幼儿园的小朋友在午睡，

tā xiǎng wǒ shì bú shì gāi xué xiǎo péng yǒu shuì wǔ jiào ne
他想：我是不是该学小朋友睡午觉呢？

bā ěr fēi lái fēi qù ná bú dìng zhǔ yi tā fēi
巴尔飞来飞去，拿不定主意，他飞

le yì tiān lèi le jiù wǎng jiā de fāng xiàng fēi qù tā gāng
了一天累了，就往家的方向飞去。他刚

fēi dào jiā yì tǎng xià qù jiù shuì zháo le
飞到家，一躺下去就睡着了。

bā ěr zhè cái zhī dào bù guǎn shì bái tiān hái shi hēi
巴尔这才知道，不管是白天还是黑

yè zhǐ yào xiǎng shuì jiào de shí hou jiù shuì jiào nà jiù duì le
夜，只要想睡觉的时候就睡觉，那就对了！

亲子悄悄话：

让孩子知道白天和黑夜的不同，能正确区分白天和黑夜。知道大多数人和动物都是白天工作和外出，晚上睡觉；少数人和动物是白天睡觉，晚上工作和外出的。

三只小羊乖又乖

★★★

苏 梅/著

yáng mā ma yǒu sān gè xiǎo bǎo bèi　　tā men jiào yáng dà　　yáng èr　　yáng sān
羊妈妈有三个小宝贝，他们叫羊大、羊二、羊三。

bàng bàng zhū lái dào xiǎo yáng jiā　　tā bǎ yì zhāng dà zhèng fāng xíng zhǐ zhé le liǎng tiáo　　zài
棒棒猪来到小羊家，他把一张大正方形纸折了两条，再

yán zhe zhé hén jiǎn kāi　　biàn chéng sān zhāng yí yàng dà xiǎo de cháng fāng xíng shǒu gōng zhǐ
沿着折痕剪开，变成三张一样大小的长方形手工纸。

sān zhī xiǎo yáng měi rén ná yì zhāng shǒu gōng zhǐ　　zhé chū le sān zhī xiǎo chuán
三只小羊每人拿一张手工纸，折出了三只小船。

bàng bàng zhū yòu dài zhe tā men lái dào cǎo dì shang　　yù dào le xiǎo tù hé xiǎo hóu
棒棒猪又带着他们来到草地上，遇到了小兔和小猴。

小兔说："我想玩拔河，可我们没有绳子。"

羊大、羊二和羊三把各自的跳绳拧在一起。大家用三根跳绳拧成的粗绳子拔河，直到累得玩不动了。

棒棒猪把三根绳子分开来，还给了羊大、羊二和羊三。

第二天，是三只小羊的生日，妈

172

mā gěi tā men mǎi le yí gè yuán dàn gāo
妈给他们买了一个圆蛋糕。

yáng dà zài dàn gāo shang qiē le sān dāo
羊大在蛋糕上切了三刀，

yuán dàn gāo biàn chéng sān kuài yí yàng dà de shàn xíng
圆蛋糕变成三块一样大的扇形

dàn gāo le tā men qǐng mā ma xiān chī
蛋糕了。他们请妈妈先吃。

yáng mā ma gāo xìng de shuō nǐ men sān gè
羊妈妈高兴地说："你们三个

zhēn shì wǒ de guāi guāi bǎo bèi er tā de xīn lǐ
真是我的乖乖宝贝儿。"她的心里

hé dàn gāo yí yàng tián
和蛋糕一样甜。

亲子悄悄话：

引导孩子给正方形、圆形等物品三等分。探索
物体等分的多种方法，激发孩子对三等分的兴趣。
发展孩子的观察力、比较能力和判断能力。

小蛋壳托儿所

★★★

武玉桂/著

老奶奶住在一个小院里。院子里只有花和草，老奶奶太寂寞了。她说："要是有小动物和我做伴儿就好啦……"

邮递员给老奶奶送来一堆大大小小的木盒子。老奶奶打开木盒子，里面

174

都是蛋。老奶奶奇怪极了："给我寄来这么多蛋干什么？"

第二天早上，老奶奶被叽叽喳喳的声音吵醒了。她过去一看，哇，好多蛋裂开了，从蛋壳里出来一群小鸡，一群小鸭！

中午，又有几个蛋裂开了，蛋壳里爬出了几只小乌龟。

傍晚，那颗最大的蛋裂开了，蛋壳里蹦出一只小驼鸟。

xiǎo dòng wù men wéi zhe lǎo nǎi nai qí shēng shuō
小动物们围着老奶奶齐声说：

lǎo nǎi nai hǎo　　　　lǎo nǎi nai gāo xìng de xiào le
"老奶奶好！"老奶奶高兴地笑了，

shuō　　bǎo bao men hǎo
说："宝宝们好！"

lǎo nǎi nai xiǎng le xiǎng　shuō　　nǐ men dōu shì
老奶奶想了想，说："你们都是

cóng dàn ké li zuān chū lái de　zán men jiù chéng lì yí gè
从蛋壳里钻出来的，咱们就成立一个

xiǎo dàn ké tuō ér suǒ ba
小蛋壳托儿所吧。"

xiàn zài　lǎo nǎi nai měi tiān hé xiǎo dòng wù men yì
现在，老奶奶每天和小动物们一

qǐ zuò yóu xì　kě kāi xīn ne
起做游戏，可开心呢！

★ 亲子悄悄话：

鸡、鸭、乌龟和鸵鸟都是卵生动物，所以它们
刚出生时都是一个个的蛋。只有勇敢地从蛋壳里
钻出来，它们才会长成可爱的小动物。

熊妈妈哄宝宝

★★★

苏 梅/著

熊妈妈刚刚生了小熊宝宝。小熊宝宝哭了，可是熊妈妈不知道怎样哄宝宝。

象妈妈用长鼻子抱宝宝。熊妈妈说："我没有那么长的鼻子！"

鳄鱼妈妈用嘴巴轻轻咬住宝宝。熊妈妈说："我没有那么大的嘴巴！"

mǔ jī mā ma yòng chì bǎng hù zhe yì qún xiǎo jī
母鸡妈妈用翅膀护着一群小鸡。

xióng mā ma shuō wǒ méi yǒu wēn nuǎn de chì bǎng
熊妈妈说："我没有温暖的翅膀！"

dài shǔ mā ma bǎ xiǎo dài shǔ fàng zài yù ér dài
袋鼠妈妈把小袋鼠放在育儿袋

li xióng mā ma shuō wǒ méi yǒu yù ér dài
里。熊妈妈说："我没有育儿袋！"

hóu mā ma yòng cháng wěi ba gōu zhù xiǎo hóu de wěi
猴妈妈用长尾巴勾住小猴的尾

ba xióng mā ma shuō wǒ de wěi ba tài duǎn
巴。熊妈妈说："我的尾巴太短！"

māo mā ma bēi zhe xiǎo māo xióng mā ma shuō bǎo
猫妈妈背着小猫。熊妈妈说："宝

bao nǐ yě pá dào mā ma de bèi shang lái ya kě shì
宝，你也爬到妈妈的背上来呀。"可是

xiǎo xióng bǎo bao zhǐ huì kū bú huì pá
小熊宝宝只会哭，不会爬。

hǎi lí mā ma bào zhe hǎi lí bǎo bao　　xióng mā
海狸妈妈抱着海狸宝宝。熊妈

ma gāo xìng de shuō　　zhè yàng wǒ yě huì
妈高兴地说："这样我也会！"

xióng mā ma bào qǐ xiǎo xióng bǎo bao　　qīn le xiǎo
熊妈妈抱起小熊宝宝，亲了小

xióng bǎo bao liǎng xià
熊宝宝两下。

xióng mā ma de shǒu bì hǎo wēn nuǎn　　xiǎo xióng bǎo
熊妈妈的手臂好温暖，小熊宝

bao bù kū le　　xiǎo xióng bǎo bao xiào le
宝不哭了，小熊宝宝笑了！

亲子悄悄话：
　　自然界的动物有成千上万种，动物妈妈们养育小宝宝的方式可能大不相同。现在，你学会几种了？

鳄鱼看病

è yú yá téng　tā de gū mā hěn dān xīn　zhǎo lái le xiǎo
鳄鱼牙疼，他的姑妈很担心，找来了小

niǎo yī shēng　　yī shēng hěn kuài jiù lái le
鸟医生。医生很快就来了。

luó yī kè　nǐ zěn me le　　yī shēng　wǒ yá téng
"罗伊克，你怎么了？""医生，我牙疼。"

ràng wǒ kàn kan　bú guò nǐ de zuǐ ba yào yì zhí zhāng zhe
"让我看看！不过你的嘴巴要一直张着。

kě yǐ ma　　luó yī kè bǎo zhèng　　dāng rán xíng
可以吗？"罗伊克保证："当然行！"

他张开大嘴巴，小鸟医生虽然有些不放心，但还是钻进了他的大嘴里。罗伊克有些心不在焉，闭上了嘴巴。姑妈在他的鼻子上打了一下，他立刻又张开了嘴。小鸟医生从他的嘴巴里飞出来，全身羽毛乱七八糟的，他很生气："罗伊克，认真点，不然我就走了，不给你治了！"

姑妈在罗伊克的嘴巴里支了一根棍子，小鸟

181

医生赶快飞进去！他很快就出来了，嘴里叼着那根卡在罗伊克牙齿里的大鱼刺！

罗伊克说："我不疼了，谢谢你，小鸟医生！"

亲子悄悄话：

这种小鸟名叫"燕千鸟"，它与鳄鱼相伴相生，帮助鳄鱼剔牙，保证其口腔卫生，同时自己也可以饱餐一顿。因此，它也被称为"牙签鸟"。

头上的"树枝"

野 军/著

　　草地里，一头小鹿撒开四条腿，又蹦又跳地追着小鸟玩。小鸟飞进了一片密密的小树林。小鹿追呀追，他的头突然被树枝卡住了。

小鹿挣扎着，朝着小树们嚷嚷："小树，小树！干吗拦着我，不让我走路？"

小树们全都呵呵地笑了起来。有棵小树对小鹿说："是你自己头上长的枝丫，勾住了我们的树杈呀！"

"什么，我的头上怎么会长枝丫呢？"

小鹿不信。他挣脱了树枝，飞快地跑到了池塘边，对着清清的池水一照：啊，水面上映着他的身影——背上有一朵朵白白的梅花，头上有两支尖尖的角丫丫。他很奇怪："咦，我的头上怎么长出了两棵小树枝？"

后来，鹿妈妈告诉小鹿："你的头上长出两个漂亮的角，成了鹿小伙子啦！"没多久，小鹿头上的角越长越大，显得更加神气了。

太阳"电视机"

★★★

野 军/著

青蛙奶奶老了，躺在泥洞里的床上，真冷清！

两只小青蛙来看望她。走出泥洞，他俩商量说："我们想个办法，让奶奶能看到电视，她一定会开心的。"

可是，哪有这么小的电视机呢？两只小青蛙搬来了一面方镜子，在泥洞口一搁，太阳光反射进泥洞里，照到泥

qiángshang fāng fāng de yí kuài   shǎn zhe guāngliàng ne
墙上，方方的一块，闪着光亮呢！

qīng wā nǎi nai yí kàn shuō   yí shì shéi
青蛙奶奶一看，说："咦，是谁

gěi wǒ sòng lái le diàn shì jī a
给我送来了电视机啊？"

hū rán   diàn shì li yì zhī xiǎo qīng wā zài
忽然，"电视"里一只小青蛙在

tiào wǔ   jiē zhe   yòu yǒu yì zhī xiǎo qīng wā zài shù
跳舞。接着，又有一只小青蛙在竖

qīng tíng qiáo liǎng zhī xiǎo qīng wā yòu zài yì qǐ yǎn
蜻蜓。瞧，两只小青蛙又在一起演

zá jì le   yuán lái   shì xiǎo qīng wā zài jìng zi qián
杂技了！原来，是小青蛙在镜子前

miàn biǎo yǎn   tài yángguāng bǎ tā liǎ de yǐng zi tóu dào
面表演，太阳光把他俩的影子投到

187

了"电视"里。

太阳"电视机"播出的节目一个又一个，真精彩！青蛙奶奶看得好开心啊！

从这以后，只要有太阳的日子，青蛙奶奶就能看到精彩的"电视节目"。

亲子悄悄话：

镜子不仅可以用来整理仪容，还能反射光线呢！小青蛙在镜子面前跳舞，它们的身影经过太阳光的照射和镜面的反射，就会投影在泥洞的墙壁上。

爸爸生孩子

小带鱼和小海马是好朋友，他们经常在一起玩。

这天，海参神秘兮兮地对小带鱼说："大家都说小海马是他爸爸生的。""胡说，娃娃都是妈妈生的！"

小带鱼不相信，决定亲自去问问小海马。

小带鱼游进一片海藻丛，突然发现一只大海马的身体正一仰一俯地摆动着。大海马仰起来时，他的身上就冒出来几只小海马。

xiǎo dài yú yóu shàng qián qù　　hǎi mǎ mā ma　　nǐ zhèng zài
小带鱼游上前去。"海马妈妈，你正在

shēng xiǎo hǎi mǎ ya　　xiǎo dài yú wèn
生小海马呀？"小带鱼问。

wǒ bú shì hǎi mǎ mā ma　　wǒ shì hǎi mǎ bà ba
"我不是海马妈妈，我是海马爸爸！"

dà hǎi mǎ shuō
大海马说。

xiǎo dài yú xīn xiǎng　　yuán lái xiǎo hǎi mǎ yì zhí mán zhe
小带鱼心想："原来小海马一直瞒着

wǒ　　tā shēng qì de qù zhǎo xiǎo hǎi mǎ zhì wèn
我！"他生气地去找小海马质问。

190

xiǎo hǎi mǎ shuō　　wǒ méi yǒu mán nǐ　　wǒ yě shì mā ma
小海马说："我没有瞒你，我也是妈妈

shēng de　　wǒ mā ma dào le chǎn luǎn qī　　xiān bǎ wǒ shēng jìn bà
生的！我妈妈到了产卵期，先把我生进爸

ba de yù ér dài li　　wǒ zài yù ér dài li shēngzhǎng fā yù yī
爸的育儿袋里，我在育儿袋里生长发育一

èr shí tiān　　zài yóu bà ba fàng chū lái
二十天，再由爸爸放出来。"

yuán lái shì zhè yàng a　　xiǎo dài yú míng bai le
"原来是这样啊！"小带鱼明白了。

亲子悄悄话：

海马爸爸肚子上有个育儿袋，海马妈妈把
小海马生出来之后，就放进海马爸爸的育儿袋，
等宝宝生长成熟了，海马爸爸再把它们从育儿
袋里"吐"出来，看起来就像爸爸生孩子了。

好学的小牛

★★★

徐林娟/著

xiǎo niú měi tiān dōu yào wèi tā de shū cài jiāo shuǐ chú
小牛每天都要为他的蔬菜浇水、除

cǎo suī rán yǒu shí hou yě xiǎng tōu tou lǎn dàn zhǐ yào yì
草，虽然有时候也想偷偷懒，但只要一

xiǎng dào shōu huò de shí jié tā jiù jiān chí le xià lái
想到收获的时节，他就坚持了下来。

mǎ shàng jiù kě yǐ shōu cài le kě shì xiǎo niú què fàn
马上就可以收菜了，可是小牛却犯

le chóu tā yīng gāi chī shū cài de nǎ yí bù fen ne
了愁：他应该吃蔬菜的哪一部分呢？

192

gēn jīng yè hái shì zhǒng zi
根、茎、叶，还是种子？

bié jí mǎ shàng qǐng jiào yí xià māo tóu yīng xiān sheng tā
别急，马上请教一下猫头鹰先生，他

kě shì sēn lín li zuì yǒu xué wen de
可是森林里最有学问的。

māo tóu yīng xiān sheng xiào hē hē de shuō luó bo wǒ men
猫头鹰先生笑呵呵地说："萝卜，我们

shì chī tā de gēn qín cài wǒ men cháng chī tā de jīng bō cài
是吃它的根；芹菜，我们常吃它的茎；菠菜，

wǒ men shì chī tā de yè zi xī lán huā wǒ men chī de shì tā
我们是吃它的叶子；西兰花，我们吃的是它

de huā
的花。"

á yuán lái shì zhè yàng de xiǎo niú tīng de yǎn jing
"啊？原来是这样的。"小牛听得眼睛

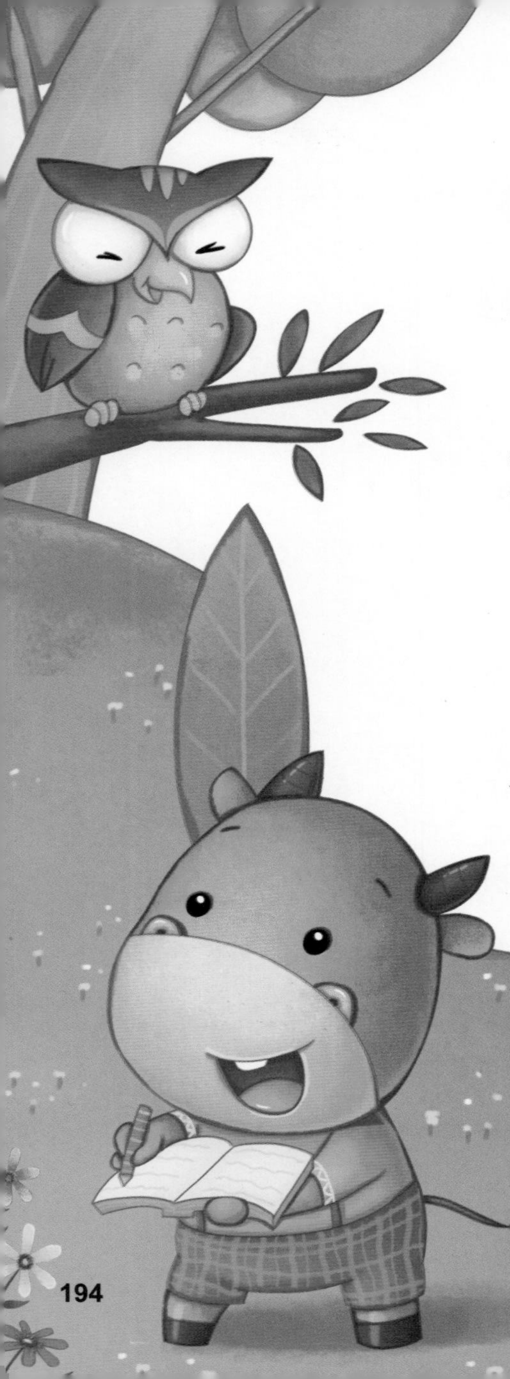

dōu dèng dà le tā jí zhe shuō màn diǎn màn diǎn ràng wǒ
都瞪大了，他急着说，“慢点，慢点，让我
dōu jì xià lái
都记下来！”

māo tóu yīng xiān sheng jì xù jiǎng zhe xiǎo niú tīng le hòu
猫头鹰先生继续讲着。小牛听了后
shuō xià cì wǒ yǒu bù míng bai de dì fang hái lái qǐng jiào nǐ
说：“下次我有不明白的地方还来请教你！”

māo tóu yīng xiān sheng xiào zhe shuō huān yíng huān yíng
猫头鹰先生笑着说：“欢迎欢迎！”

cóng cǐ yǐ hòu yóu yú xiǎo niú de qín xué hào wèn tā
从此以后，由于小牛的勤学好问，他
dé le yí gè chuò hào jiào zuò shū cài xiǎo bó shì
得了一个绰号，叫做“蔬菜小博士”。

亲子悄悄话：

从什么都不懂的小牛到“蔬菜小博士”，没有什么捷径，只有勤学好问，多多请教。希望你也成为一个好学的宝宝。

狐狸和乌鸦

wū yā jiǎn dào le yí kuài nǎi lào tā gāo xìng jí le
乌鸦捡到了一块奶酪,他高兴极了。

wū yā diāo zhe nǎi lào fēi dào shù shang tā xiǎng wǒ yào hǎo
乌鸦叼着奶酪飞到树上,他想:"我要好

hǎo cháng yì cháng
好尝一尝。"

lín zi li yǒu yì zhī hú li hú li hěn è hěn è
林子里有一只狐狸,狐狸很饿很饿,

dào chù zhǎo chī de fēng sòng lái nǎi lào de xiāng wèi shùn zhe
到处找吃的。风送来奶酪的香味,顺着

xiāng wèi hú li fā xiàn le shù shang de wū yā
香味,狐狸发现了树上的乌鸦。

195

狐狸笑着和乌鸦打招呼："亲爱的乌鸦，你好啊！"乌鸦也看到了狐狸。他向狐狸点了点头，飞到了更高的树上。

狐狸用温柔的声音说："乌鸦，你真是太美了！森林里，数你最漂亮！"乌鸦看了看他，非常得意，笑眯眯地点了点头。

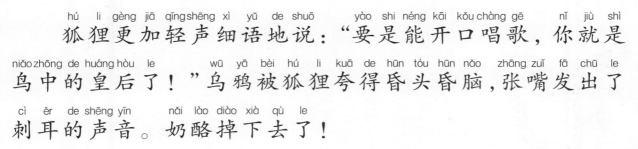

狐狸更加轻声细语地说："要是能开口唱歌，你就是鸟中的皇后了！"乌鸦被狐狸夸得昏头昏脑，张嘴发出了刺耳的声音。奶酪掉下去了！

等乌鸦明白过来，狐狸叼着奶酪早就逃得没影儿了。

★ 亲子悄悄话：

狐狸太狡猾了，不停地夸乌鸦，让乌鸦得意忘形！最后乌鸦张开嘴巴，让香喷喷的奶酪落入狐狸口中。

小红帽

小红帽真可爱，清早起来去看外婆。突然，
大灰狼从树后蹿了出来。

"小姑娘，你去哪里呀？""我去看外婆！"

于是，大灰狼赶在小红帽到达前吞下了外
婆，并装成外婆的样子躺在床上。

"外婆，为什么你的耳朵这么大？""那是

198

wèi le gèng hǎo de tīng nǐ shuō huà
为了更好地听你说话。"

wài pó wèi shén me nǐ de shǒu zhè me dà
"外婆，为什么你的手这么大？"

nà shì wèi le gèng hǎo de bào nǐ
"那是为了更好地抱你。"

wài pó wèi shén me nǐ de zuǐ ba zhè me dà
"外婆，为什么你的嘴巴这么大？"

gū lū yì shēng dà huī láng bǎ xiǎo hóng mào tūn
"咕噜"一声，大灰狼把小红帽吞

xià dù mǒ mo zuǐ ba hū lū shuì qǐ dà jiào lái
下肚，抹抹嘴巴，呼噜睡起大觉来。

yí shéi zài lǎo nǎi nai jiā shuì jiào zhè me
"咦？谁在老奶奶家睡觉，这么

dà de hū lū shēng liè rén jué de hěn qí guài yuán
大的呼噜声？"猎人觉得很奇怪。"原

lái shì dà huī láng liè rén jǔ qǐ qiāng zěn me dà
来是大灰狼。"猎人举起枪。怎么大

huī láng de dù zi yí dòng yí dòng de　　liè rén ná lái dà
灰狼的肚子一动一动的？猎人拿来大

jiǎn dāo　　bǎ dà huī láng de dù zi jiǎn kāi le
剪刀,把大灰狼的肚子剪开了。

　　xiǎo hóng mào hé wài pó cóng dà huī láng de dù zi li
小红帽和外婆从大灰狼的肚子里

tiào le chū lái　　dà jiā zhōng yú dé jiù le
跳了出来,大家终于得救了。

亲子悄悄话：

小红帽去外婆家的路上轻信大灰狼，让大灰狼有机
可乘。小朋友记住出门在外,不要告诉陌生人自己的去向!

自私的巨人

巨人的花园很漂亮，孩子们都喜欢到那里玩。巨人看到孩子们在他的花园里玩，非常生气。

他在花园四周筑起围墙，又挂出一块牌子："不许任何人进入花园。"

春天来了，巨人的花园里却还

是冬天的模样。巨人非常奇怪，这是怎么回事呢？

这天，巨人忽然发现春天到来了。原来，几个孩子溜进了花园，是他们带来了春天。其中一个孩子爬不上花园里的树，独自在树下哭。巨人走过去，帮他擦干眼泪，又把他抱上树。小孩高兴地笑了。

jù rén shuō　　wǒ zhī dào le　　yīn wèi wǒ tài zì sī le
巨人说："我知道了，因为我太自私了，

chūn tiān cái bù lái wǒ de huā yuán　　tā chāi diào wéi qiáng　zhāi diào
春天才不来我的花园。"他拆掉围墙，摘掉

pái zi　huān yíng hái zi men dào tā de huā yuán li wán
牌子，欢迎孩子们到他的花园里玩。

měi tiān fàng xué　　hái zi men dōu lái zhǎo jù rén wán　　　jù
每天放学，孩子们都来找巨人玩。巨

rén hěn lǎo le　　tā bù néng hé hái zi men yì qǐ wán　　jiù zuò zài
人很老了，他不能和孩子们一起玩，就坐在

yǐ zi shang kàn tā men zuò yóu xì
椅子上看他们做游戏。

亲子悄悄话：

因为巨人自私，春天和小朋友都不去他的花园了。
小朋友，不要做自私的人哦，要学会和别人分享快乐！

小锡兵

桌上放着25个玩具锡兵，其中一个锡兵只有一条腿。离他不远的地方，有一座纸做的宫殿，宫殿门口站着一位穿花裙的纸姑娘，她肩上缀着亮闪闪的金片。锡兵很想认识她，于是站到离窗台近的位子，那里可以清楚地看到她。

yì tiān   yí zhèn dà fēng chuī lái   xī bīng shuāi xià
一天，一阵大风吹来，锡兵摔下

le lóu   liǎng gè nán hái fā xiàn le tā   bǎ tā fàng
了楼……两个男孩发现了他，把他放

zài zhǐ chuán li   zhǐ chuánshùn shuǐ liú jìn le xiǎo hé
在纸船里，纸船顺水流进了小河。

hòu lái   tā yòu bèi yì tiáo yú tūn jìn le dù zi
后来，他又被一条鱼吞进了肚子

li   zhè tiáo yú bèi rén bǔ zhù   mài gěi le yí hù rén
里。这条鱼被人捕住，卖给了一户人

jiā   chú shī pōu kāi yú dù   tāo chū xī bīng
家。厨师剖开鱼肚，掏出锡兵。

à zhè hù rén jiā jiù shì tā dāi guò de nà jiā xī bīng
啊，这户人家就是他待过的那家。锡兵

yòu kàn jiàn le zhǐ gū niang tā men hù xiāng duì wàng tū rán yǒu rén
又看见了纸姑娘，他们互相对望。突然，有人

bǎ xī bīng rēng jìn huǒ lú xī bīng màn màn de róng huà
把锡兵扔进火炉，锡兵慢慢地熔化……

yí zhèn fēng chuī lái zhǐ gū niang fēi dào tā shēn páng biàn chéng yí
一阵风吹来，纸姑娘飞到他身旁，变成一

dào huǒ yàn xiāo shī le nǚ yōng zài qīng lǐ lú huī shí kàn dào yì
道火焰，消失了。女佣在清理炉灰时，看到一

kē xiǎo xiǎo de xī xīn xī xīn shang yǒu yí piàn jīn piàn shǎn shǎn fā guāng
颗小小的锡心，锡心上有一片金片闪闪发光。

亲子悄悄话：

　　小锡兵不管遇到什么样的遭遇，都坚定地爱着纸姑娘。虽然没能和纸姑娘说过话，但最后熔化了能够在一起，这样也算不错的结局！

天鹅、梭子鱼和虾

一天，天鹅、梭子鱼和虾在一起玩耍。突然，他们在河岸边看见了一辆装满食物的车子。

"我们把车子拉到水里藏起来，以后慢慢分享这些食物。"梭子鱼说。天鹅和虾点了点头，表示同意。

于是，他们开始拉车子。三个伙伴
使足了力气，可车子还是一动不动。

虾着急了，说："你俩使出力气呀！
你俩到底有没有用力拉呀？"天鹅和梭
子鱼异口同声地说："我们用力了呀，可

208

néng chē zi tài zhòng le ba
能车子太重了吧。"

qí shí chē zi yì diǎn er yě bú zhòng
其实，车子一点儿也不重。

zhǐ shì tiān é shǐ jìn de wǎng tiān shàng tí suō zi yú cháo qián miàn de hé shuǐ
只是，天鹅使劲地往天上提，梭子鱼朝前面的河水

li lā xiā wǎng àn shang tuō zhè yàng bù tóng fāng xiàng de chū lì zěn me kě
里拉，虾往岸上拖，这样不同方向的出力，怎么可

néng lā de dòng ne
能拉得动呢？

zuì hòu sān gè huǒ bàn lèi huài le chē zi hái shi yí dòng yě bú
最后，三个伙伴累坏了，车子还是一动也不

dòng tā men zhǐ hǎo bú zài qù lā chē zi le
动，他们只好不再去拉车子了。

亲子悄悄话：

　　办事情要有方法，天鹅、梭子鱼和虾只知道出力，不注意方法，拉了半天也没有拉动车子。

聪明的小裁缝

从前，有个公主通告全国：谁能猜出她提问的答案，她就嫁给谁。来猜的人很多，可没人能猜中。

有个小裁缝想去试试，便来到了王宫。

公主见到小裁缝，不耐烦地对他说："我头上

的头发有两种颜色，是哪两种？"小裁缝
回答是金色和银色。公主一听，脸色变
得苍白，因为小裁缝猜中了。

公主不愿意嫁给小裁缝。她要小裁
缝和熊过夜，如果平安无事，她就嫁给他。

晚上，小裁缝被关到熊栏里。熊见
了小裁缝，凶狠地朝他走来。小裁缝掏

出核桃仁津津有味地吃着。熊闻到核桃仁的香味，馋得直流口水。小裁缝掏出一把核桃仁给熊，便和熊成了好朋友。

第二天，公主前去一看，只见小裁缝好好地站在那里。公主佩服小裁缝的聪明和胆量，于是嫁给了他。

亲子悄悄话：

小裁缝真是又聪明又勇敢啊！只用一把核桃仁，就能化险为夷，和凶猛的熊做了朋友，难怪公主也佩服他呢！

农夫和孩子们

cóng qián yǒu gè nóng fū   tā yǒu sān gè ér zi   sān gè ér zi dōu hěn néng gàn
从前有个农夫，他有三个儿子。三个儿子都很能干，

kě jiù shì xiāng hù zhī jiān bù tuán jié   zhěng tiān chǎo chǎo nào nào
可就是相互之间不团结，整天吵吵闹闹。

nóng fū jīng cháng quàn shuō tā men   kě ér zi men tīng bú jìn qù   nóng fū xīn xiǎng
农夫经常劝说他们，可儿子们听不进去。农夫心想：

yí dìng yào xiǎng bàn fǎ   yòng shì shí lái jiào yù ér zi
"一定要想办法，用事实来教育儿子

men dǒng dé tuán jié de zhòng yào xìng
们懂得团结的重要性。"

这天，农夫叫儿子们各自去找了几根树枝。儿子们不知道父亲要干什么，但还是照办了。不一会儿，他们每人拿了几根树枝来了。

农夫把十几根树枝扎成一捆，要儿子们把它折断。三个儿子用尽全身的力气，可树枝一根也没断。

农夫又把树枝拆开，给三个儿子每

人一根："现在你们试试能不能折断？"三个儿子稍微用力，树枝就被折断了。

三个儿子知道了团结的重要性，从此以后，他们干什么事都齐心协力，再也不争吵了。

亲子悄悄话：

团结就是力量，农夫用心良苦地让他的孩子们知道了这个道理。小朋友也要懂得这个道理哟！

图书在版编目（CIP）数据

暖暖的心 /苏梅等著；贝贝熊插画工作室绘. 一武汉：长江少年儿童出版社，2014.11
（10 分钟美绘睡前故事）
ISBN 978-7-5560-1191-9

I. ①暖… Ⅱ. ①苏…②贝… Ⅲ. ①故事课—学前教育—教学参考资料 Ⅳ. ① G613.3
中国版本图书馆 CIP 数据核字〔2014〕第 195302 号

暖暖的心

苏　梅　等 / 著
贝贝熊插画工作室 / 绘
责任编辑 / 傅一新　佟　一　张玉洁
装帧设计 / 钮　灵
美术编辑 / 刘　菲
出版发行 / 长江少年儿童出版社
经销 / 全国新华书店
印刷 / 长沙湘诚印刷有限公司
开本 / 889×1194　1/24　9 印张
版次 / 2014 年 11 月第 1 版第 1 次印刷
书号 / ISBN 978-7-5560-1191-9
定价 / 25.80 元

策划 / 海豚传媒股份有限公司
网址 / www.dolphinmedia.cn　邮箱 / dolphinmedia@vip. 163.com
咨询电话 / 027-87398305　销售电话 / 027-87396822
海豚传媒常年法律顾问 / 湖北豪邦律师事务所　王斌　027-65668649